2004
#18

LE MARQUIS
DE CUEVAS

DU MÊME AUTEUR

Aux éditions Sylvie Messinger

Les étoiles de l'Opéra de Paris, 1981.
Les grands ballets de l'Opéra de Paris, 1982.

Aux éditions Plume

Roland Petit, un chorégraphe et ses danseurs, 1992.
Ballets, 1993.
Danseurs et chorégraphes, 1993.
Patrick Dupond, 1993.
Maurice Béjart, 1995.

Autres éditeurs

Roland Petit, un chorégraphe et ses peintres, Hatier, 1990.
Jiri Kylian, Bernard Coutaz, 1989.
Yvette Chauviré, Ed. du Quai, 1997.
Florilège du ballet de Nancy et de Lorraine, Ed. Messene, 1998.

www.editions-jclattes.fr

Gérard Mannoni

LE MARQUIS
DE CUEVAS

JC Lattès

1.

Un Chilien à Paris

Novembre 1947 : on apprend que le Grand Ballet de Monte-Carlo du marquis de Cuevas se produit à l'Alhambra. Que vient donc y faire une compagnie de danse classique ? Et qui se doute que l'une des plus belles aventures artistiques du XXe siècle vient de commencer ? Et que le marquis et ses danseurs vont occuper le devant de la scène médiatique pendant quinze ans ? En ces années d'immédiat après-guerre, on est partagé entre le désir de s'amuser pour rattraper le temps perdu, de panser les plaies encore ouvertes, de valoriser tout ce qui est français après ces années d'humiliation, et l'admiration reconnaissante pour tout ce qui est américain et donc synonyme de libération. L'humeur est sombre dans les cabarets existentialistes de Saint-Germain-des-Prés. Juliette Gréco et Edith Piaf sont en noir pour chanter l'une le mal-être, l'autre l'amour. Au théâtre, on joue Sartre et les classiques. Jean Vilar s'apprête à lancer au TNP la mode du « dépouillement décoratif ». En littérature comme à la scène, la bonne humeur n'est pas vraiment à l'ordre du jour. Pourtant, les chansonniers sont là. Ils ont su, presque seuls, continuer à ricaner à la barbe des occupants. Boris Vian joue de la trompette, on découvre le be-bop, cet ancêtre du rock. La danse qui participe à ce vaste courant d'idées et de créations. Malgré l'éclat de ses étoiles, le Ballet de l'Opéra, lui, connaît des heures incertaines. Eloigné à la Libération, Serge Lifar s'est retiré à Monte-Carlo. Roland Petit est parti pour créer les ballets des Champs-Elysées qui deviendront bientôt les Ballets de Paris. *Les forains, Le jeune homme et la mort* sont déjà considérés comme des chefs-d'œuvre, emblématiques de cette tribu d'artistes solidaires depuis les années de guerre : Cocteau, Bérard, Sauguet, Picasso... La toute jeune Janine Charrat, révélée comme Roland Petit par les soirées du théâtre Sarah-Bernhardt qu'a créées Irène Lidova, mène le train de l'avant-garde. Les troupes vivent à l'heure des tournées et des saisons. Et des recettes. Il n'est pas encore question de subventions. Roland Petit a fondé sa première compagnie avec l'argent de son père. Il créera la seconde avec celui prêté par le prince Ruspoli qu'il remboursera, intégralement, sur sa cassette. A Paris, la danse est à la mode. Plusieurs salles lui sont ouvertes, Théâtre des Champs-Elysées, Marigny, Palais de Chaillot, Empire, et toujours Sarah-Bernhardt. L'Alhambra, cinéma music-hall, n'est en revanche qu'un lieu populaire voué aux variétés, fief notamment de Maurice Chevalier.

Dans son ensemble, la presse passe à côté de l'événement : on remarque les fastes du gala d'ouverture, on apprécie les prouesses de certains danseurs, mais on ignore ce que ces spectacles représentent d'efforts collectifs. Pour beaucoup, il ne s'agit que d'une saison de plus du Grand Ballet de Monte-Carlo, comme s'il ne venait pas d'échapper au naufrage. Ainsi, dans *l'Aube* du 12 novembre peut-on lire : « *Evidemment, ces Ballets de Monte-Carlo qui méritent et pour lesquels j'ai personnellement beaucoup de sympathie se trouvent découronnés par le retour à l'Opéra de leur génial et prodigieux animateur. Serge Lifar. Mais on y travaille avec ardeur et on*

*n'épargne pas sa peine pour nous donner du plaisir. La troupe a
subi quelques changements. L'arrivée au pouvoir du marquis de
Cuevas a introduit des éléments américains parmi les artistes de
la danse et elle en a aussi amenés dans la composition chorégraphique et musicale. Et on trouve là, côte à côte, les genres de
ballets les plus divers : grand intérêt de curiosité...* » Ailleurs on
peut lire aussi : « *La situation de l'Alhambra, le nombre des
places et des représentations permettaient de toucher les amateurs de danse de tous les milieux. Cette décentralisation, peut-
être involontaire, était une expérience à tenter et je crois que les
organisateurs n'auront eu qu'à se louer d'une telle initiative. Le
Grand Ballet de Monte-Carlo, composé d'éléments nombreux,
talentueux et homogènes, possédant des étoiles de premier plan,
a reçu un accueil chaleureux...* » L'ensemble des médias a une
réaction de routine comme pour un spectacle ordinaire. Les
journalistes soulignent d'emblée la forte personnalité de
Rosella Hightower et du couple George Skibine-Marjorie
Tallchief, commentent sans passion les qualités et les
exploits des uns et des autres dans un répertoire pourtant
varié. Au fil des premiers spectacles on verra notamment *Les
Sylphides*, hérité des Ballets Russes et symbole du roman-
tisme, *Le Cygne noir*, grand pas de deux de virtuosité extrême
tiré du *Lac des Cygnes*, quatre ballets de Nijinska, *les Biches,
Les tableaux d'une exposition, Les variations de Brahms, In
memoriam*, un univers porteur de modernité, deux ballets de
Lifar, *La nuit sur le mont Chauve* et *Aubade, Sébastian* de
Caton, *Constantia* de Dollar et *La fille mal gardée* d'après
Dauberval. On apprécie plus ou moins ce mélange hétéroclite de classique et de plus moderne qui sera une constante
des programmes Cuevas. Mais la personnalité du marquis de
Cuevas ne suscite encore qu'un intérêt anecdotique. On ne
prête qu'une attention distraite au choix d'un lieu tel que
l'Alhambra. Qui est donc ce marquis dont le nom se trouve

soudain ajouté à celui du Grand Ballet de Monte-Carlo ? Que vient-il faire à Paris ? Pourquoi sa compagnie se retrouve-t-elle dans un music-hall et non au Théâtre des Champs-Elysées ou à l'Empire ? En novembre 1947, quasiment personne ne se le demande.

Accusé d'avoir dansé sans trop de réticences devant les Allemands pendant la guerre et d'avoir prononcé quelques paroles imprudentes, Serge Lifar, qui régnait sur le Ballet de l'Opéra depuis plus de vingt ans, a donc été écarté par le tribunal d'épuration. A Monte-Carlo, il a pris la direction artistique du Grand Ballet qui, sous la direction d'Eugène Grünberg, tente de perpétuer la tradition des Ballets Russes de Diaghilev. D'excellents danseurs ont suivi Lifar dans ces années un peu troubles. Malgré ses prétendues dérives idéologiques, sa personnalité artistique fascine toujours. Yvette Chauviré, Renée Jeanmaire, Youri Algaroff, Vladimir Skouratoff, Alexandre Kalioujny, Olga Adabache, Ludmilla Tchérina l'ont accompagné. Au sortir de la guerre et de ses privations, Monte-Carlo est un petit paradis pour eux tous. Les tournées en Italie ou en Grande-Bretagne se déroulent dans des conditions plus que précaires, mais au moins on bouge, on danse, on voit du pays et on s'amuse. Certes la Société des Bains de Mer est moins riche qu'aujourd'hui, mais on crée tout le temps. Et puis, le soleil favorise les intrigues amoureuses. Une brillante vie mondaine aussi, où la Bégum joue les hôtesses en recevant danseurs et danseuses au bord de la piscine de sa villa du Canet. A Paris, on ne voit que les succès des créations monégasques. Lifar revient en grâce, est même pressenti pour rentrer à l'Opéra. Le moral est au beau fixe et les danseurs ne savent guère que la compagnie court à la faillite. Pourtant, raisons financières et raisons artistiques s'ajoutant, il apparaît courant 1947 que le

Grand Ballet de Monte-Carlo ne passera pas l'année. L'administrateur comme le jeune impresario Claude Giraud doivent se rendre à l'évidence : sauf miracle, il va falloir déposer le bilan et licencier tous les danseurs. Mais, comme dans les contes, un miracle a lieu.

Qui a sorti alors de son chapeau le nom de ce marquis chilien assez riche et assez passionné de danse pour devenir un éventuel repreneur de la compagnie en déroute ? Ce qui touche au marquis de Cuevas a toujours pris une dimension hors norme, un peu mystérieuse. Il est souvent difficile de distinguer légende et réalité dans cette vie flamboyante et agitée. L'histoire veut – et elle est vraisemblable – que ce soit dans l'entre-deux-guerres que Lifar ait un jour rencontré le marquis de Cuevas, fou de danse pour avoir vu les Ballets Russes à Paris, dont Lifar était lui-même issu. Ils sympathisent donc et le marquis lui dit de faire appel à lui si, un jour, il peut l'aider ou aider la danse. Lors de cette réunion dramatique où la dissolution de la troupe est envisagée, Lifar se serait rappelé soudain cette rencontre et cette promesse. Face au scepticisme des responsables de la compagnie, Claude Giraud, n'ayant plus rien à perdre, téléphone dans l'instant au marquis, l'appelle à leur secours. Réponse de l'intéressé : « J'arrive. » Et deux semaines plus tard, accompagné de quelques étoiles américaines, le voilà à Monte-Carlo. Au lieu de sombrer, la compagnie va renaître. Un miracle s'accomplit par la seule volonté passionnée de cet homme. L'aventure commence.

Tout débute sur des bases incertaines, celles de la compagnie existante auxquelles s'ajoutent les forces nouvelles venues d'outre-Atlantique. Le marquis de Cuevas est arrivé avec des étoiles américaines, Rosella Hightower, Marjorie Tallchief, André Eglevski et George Skibine, vedettes de son éphémère compagnie, l'International Ballet, créée à

New York en 1944. Avec cet ensemble de danseurs assez hétéroclite, on assure les spectacles des fêtes du Jubilé de S.A.S. le prince Louis II de Monaco et on ouvre à la hâte une saison à Vichy le 12 juillet 1947. Comme souvent dans l'histoire de la compagnie, les événements privés colorent la vie publique. George Skibine et Marjorie Tallchief, fiancés aux Etats-Unis, décident de convoler. Non sans mal, ils obtiennent les papiers nécessaires à l'union de deux citoyens américains sur le sol français, et se marient à l'église russe de Vichy. Une vraie fête de la famille danse à laquelle assistent non seulement les parents de George, mais la sœur de Marjorie, la grande ballerine Maria Tallchief accompagnée de son mari, Georges Balanchine, Mme Nijinska, Yvette Chauviré, André Eglevski, Rosella Hightower et bon nombre des danseurs de la nouvelle compagnie. Cette euphorie générale ne dure pas. Pressentant que l'esthétique et le répertoire vont changer, sans doute rétifs à collaborer avec des danseurs américains inconnus en France, une partie des étoiles préfèrent partir. Et puis, on parle de plus en plus du retour de Lifar à Paris. Chauviré, Charrat, Jeanmaire, Kalioujny regagnent qui l'Opéra, qui les Ballets des Champs-Elysées. Certains d'entre eux reviendront plus tard, à l'occasion. Restent néanmoins quelques « stars », à savoir Youri Algaroff, Ethery Pagava, Olga Adabache, Milorad Miskovitch. A Vichy, le succès a été indiscutable. Mais le marquis de Cuevas connaît assez la France pour savoir qu'une consécration parisienne est la meilleure carte de visite pour le reste du monde. Quatre mois plus tard, il part à la conquête de la capitale. L'idylle avec Monte-Carlo ne doit d'ailleurs pas passer le cap de 1950 : les difficultés s'accumulent sur place, la Société des Bains de Mer exige des redevances sur tous les spectacles donnés en tournée. Lassé, le marquis finit par rompre à l'occasion d'un ultime incident, le blocage des recettes tant que ne seront pas payés les décors de *Petrouchka*. A partir de cette date, la compagnie prend le titre de Grand Ballet du Marquis de Cuevas, avant de devenir par la suite International Ballet du Marquis de Cuevas.

Mais qui est donc ce Chilien capable de s'offrir une compagnie que même la Principauté de Monaco ne peut plus financer ? Si une certaine société parisienne le connaît d'avant la guerre, le grand public ignore tout de lui.

George de las Cuevas de Bustillo y Teran, marquis de Piedrablanca de Guana par décret royal de 1931 comme l'atteste son arbre généalogique, est né le 26 mai 1885 à Santiago du Chili. Cette date et ce lieu sont incontestables, contrairement à d'autres épisodes de sa vie, sur lesquels les pistes se brouillent. Même les témoins les plus proches émettent des avis contradictoires. Pour la version officielle, il naît dans une famille ancienne et aisée de Santiago, descendante des conquistadors, mais, l'arbre en atteste, ne portant aucun titre de marquis avant celui donné par le roi d'Espagne en 1931. Peu importe d'ailleurs l'origine réelle de ce marquisat, George de Cuevas prouva toute sa vie qu'il était marquis par nature. Sa mère était danoise, et d'une excellente famille. Quant à son père, Edouard de las Cuevas, il est né en 1821 à Santiago du Chili, a été successivement Gouverneur Général de la Province de Santiago, Consul général à Paris, Directeur des Postes du Chili, Gouverneur de Province, Directeur Général des Chemins de Fer de l'Etat, Directeur des Douanes du Pérou, Député, Sénateur, Conseiller de la Caisse Hypothécaire, Président de la banque d'Etat et est mort le 12 août 1897. Certains contemporains prétendent que le marquis naquit dans une famille de sept enfants sans grands moyens. Une amie fortunée de ses parents, ayant remarqué sa vivacité, son caractère ardent et son intelligence, lui aurait payé des études qui finirent par le conduire en Europe et plus précisément à Paris. Mais cette version ne tient guère, même si elle cadre mieux avec le caractère assez flamboyant et romanesque du personnage. Quoi qu'il en soit, né riche ou pauvre – un haut fonctionnaire chilien à la fin du XIXe siècle faisait-il nécessairement fortune ? – George de Cuevas est un beau jour arrivé à Paris. Il est immédiatement séduit par cette ville qui incarne la culture et le mode de vie en accord avec ses aspirations les plus profondes. Il évoque lui-même son émerveillement de l'époque : « *Quand je n'étais qu'un petit métèque à Paris...* » Est-ce lors de ses séjours parisiens qu'il découvre les Ballets Russes de Diaghilev et tombe ainsi sous le charme de la danse ? Probablement : en 1909, George de Cuevas a vingt-quatre ans, et peut donc très bien avoir assisté à l'un des spectacles de la célèbre compagnie soit au Châtelet, soit plus tard, à l'Opéra ou au Théâtre des Champs-Elysées. Mais le marquis est toujours resté imprécis sur ses activités parisiennes lors des années précédant son mariage. Aussi existe-t-il une autre version de la naissance de son amour pour la danse. Cela se serait passé bien plus tard, alors qu'il avait une cinquantaine d'années, vers 1935. Sur un paquebot lors d'une traversée de l'Atlantique, tandis qu'il arpente le pont en lisant le *Colloque sentimental* de Verlaine, il croise un jeune homme à qui Cuevas dit à voix haute les premiers vers « *Dans le vieux parc solitaire et glacé...* », et le jeune homme d'exécuter les plus admirables pas de danse : c'est Nijinsky en personne ! De ce jour, Cuevas n'aurait plus rêvé que de danse. L'histoire est belle. On voudrait la croire, mais elle est peu vraisemblable. A la fin des années trente, Nijinsky avait déjà plus de quarante-cinq ans. Né en 1890, il avait abandonné la danse en 1918 en raison de ses troubles mentaux.

S'il y eut rencontre avec Nijinsky sur un bateau, ce fut sûrement beaucoup plus tôt dans la vie du marquis. En outre, le marquis lui-même ne parle guère de cette rencontre poétique et qui va si bien à son personnage quand il écrit le récit de ses débuts dans le monde de la danse, de sa venue à Monte-Carlo et de son arrivée à Paris avec ses danseurs. C'est un récit imagé, un rien mélodramatique, où chaque détail est bien mis en valeur, dans un style totalement conforme à la nature théâtrale et romanesque de son auteur. Il y transparaît aussi son sens des rapports humains, sa satisfaction à être quelqu'un de populaire, de connu, auquel s'ajoute une légère paranoïa qui le pousse à soupçonner des cabales derrière les échecs. Outre l'intérêt historique qu'il présente malgré quelques inexactitudes, ce récit est donc une clé fondamentale pour comprendre la personnalité du marquis :

« *On m'a demandé quelles étaient les circonstances qui m'avaient amené à m'occuper d'un ballet. Cela est dû au jeu de la guerre et du hasard… Nous avions invité dans notre maison à New York nos jeunes amis, les deux derniers enfants du duc de Gramont. Dès la déclaration de guerre, ils s'étaient inscrits au Consulat français dans la liste des patriotes prêts à partir. Ils avaient donné comme référence mon nom et mon adresse. C'est pourquoi le consul me téléphona un matin pour me dire que nos amis devaient s'embarquer le jour même, vers trois heures de l'après-midi. Je dus les prévenir, et, à l'heure indiquée, j'allai les accompagner au port. En arrivant, je crus m'être trompé d'heure et de date car le port était vide. Il n'y avait pas de porteurs pour transporter les bagages, un silence de mort régnait. On ne voyait pas de fumée au-dessus des cheminées des bateaux. Les portes donnant accès aux quais étaient fermées. Nous pensions déjà retourner à la maison quand un homme à l'air mystérieux nous accosta pour nous demander si nous allions nous embarquer. Je répondis que moi, j'avais passé l'âge d'être le bienvenu mais que mes amis allaient partir. Alors il me dit : "Il faut agir vite, le départ se fera en grand secret parce qu'on a signalé des sous-marins ennemis près de la côte. Comme vous voyez, pour éviter les indiscrétions, on n'a prévenu que les intéressés, qui doivent transporter leurs malles eux-mêmes. Il faut embarquer tout de suite, parce que les portes seront fermées dans dix minutes.*

"Passez par un hangar qui communique avec le quai de départ. Au fond du quai, vous monterez sur un bateau aux feux éteints, il y a une passerelle qui y conduit. Je vous préviens que le départ ne se fera qu'après minuit, mais vous quitterez le bateau dès que vous y aurez mené vos amis, parce que je n'attends que le signal pour fermer toutes les portes de sortie." C'est ainsi que je suis arrivé sur le pont du bateau qui emportait des centaines de Français allant rejoindre la patrie en danger. Quand ils me virent, un chœur de voix s'éleva : "Notre marquis ! Comme c'est gentil de venir nous dire au revoir !" Je n'avais pas idée qu'il y eût à New York autant de Français que je connaissais. Je reconnus des employés de banque, des marchands, des employés des agences de voyage, des bureaux de tourisme de toutes les classes sociales, de tous les métiers, d'autres qui m'avaient servi dans des restaurants ou des salons de coiffure. Et l'accueil chaleureux que tous me faisaient me toucha profondément. Chacun me parlait à la fois de sa famille, des enfants trop jeunes pour travailler, de tous les êtres qu'ils laissaient en arrière et on avait rempli mes poches d'adresses. On me fit promettre d'aller voir les familles et d'alléger leur situation difficile et leur abandon. A mon retour à la maison, ma femme, remarquant mon air préoccupé, me demanda les causes de mon accablement. Je lui racontai ce que j'avais vu et elle eut l'idée, pour aider les jeunes enfants qui ne parlaient presque pas l'anglais, d'ouvrir une école de ballet. C'est ainsi que j'ai commencé. Immédiatement, je me suis mis à la recherche d'un local pouvant servir à

une académie de danse, et je le trouvai au Steinway Hall. Il y avait deux énormes salles avec de magnifiques parquets ; une chambre qui servait de bureau au directeur, moi en l'occurrence, des vestiaires et des toilettes. Une pléiade de maîtres de ballet accourut : Nijinska, Massine, Lichine, Wilsak, Schollar, Caton, Dollar, Aboukoff. »

Très vite, cette initiative est connue à New York et l'école attire un nombre d'élèves inespéré :

« *En plus des enfants de ceux qui étaient partis pour remplir leur devoir, beaucoup d'enfants américains s'inscrivirent dans notre école pour prendre des leçons et, comme ils payaient pour assister aux cours, cette école ne nous ruina pas. La maintenir ne nous coûtait pas cher et j'ai commis l'erreur de me prendre pour un homme d'affaires. Après cinq années de travail incessant, ma femme et moi décidâmes, étant donné les progrès de nos élèves, de les montrer au public. Nous avions acquis un théâtre, préparé un répertoire de douze ballets pour commencer et, en octobre 1944, devant une salle élégante, composée de femmes en grande toilette et de personnalités marquantes, nous lançâmes notre compagnie. J'avais assisté la veille, très ému, à la répétition générale. On devait commencer par* Les Sylphides. *En regardant danser mes artistes j'étais découragé parce que je sentais que l'esprit n'y était pas. Elles dansaient mécaniquement. Je les avais retenues sur la scène et leur avais demandé si elles savaient ce qu'était une Sylphide. Elles furent surprises et confessèrent leur ignorance. Alors, pour leur faire comprendre, je leur racontai qu'il existe des petits vers minuscules qui, à une certaine époque de l'année, produisent un fil de soie avec lequel ils fabriquent un cocon où ils s'enferment jusqu'aux premiers jours du printemps. Ils sortent alors de cette prison volontaire transformés, et leur surprise devient un éblouissement parce que, obligés auparavant de se traîner par terre, ils peuvent maintenant, grâce à des ailes merveilleuses, voler de fleur en fleur et se poser sur des feuilles vertes. Ces jeunes sylphides admirent la parure de leurs compagnes lorsque les gouttes de rosée, éclaboussant leur dos qui renvoie les rayons du soleil, forment des facettes de diamant. Et grisées par l'air tiède et le parfum de la terre gonflée de sève, dans la volupté de se sentir légères, belles, soutenues par la brise, elles jouent, insouciantes, jusqu'à la tombée du soir. Alors, contemplant émerveillées le spectacle que leur offre la nature, dans la nuit argentée, elles frémissent de bonheur en regardant les dentelles de lumière tissées par les rayons de lune et les branches des arbres. Et ce clair de lune les fait tomber dans une extase que vous, mes filles, devez ressentir pour devenir, sur la scène, des Sylphides. Ainsi vous trouverez la pose, la ligne et la beauté de votre maintien parce que c'est vous, vous-mêmes, qui passez de l'état de chrysalide à l'état d'êtres ailés.*

« Ainsi, ma première des ballets fut un triomphe parce que mes danseuses avaient compris ; mais c'était compter sans les rivalités professionnelles. Etant une compagnie désintéressée, nous avions éveillé l'animosité des imprésarios qui exploitaient commercialement cette branche de l'art qui s'appelle le ballet. Nous avons été attaqués par la critique, mais il y eut tout de même un public enthousiaste qui remplit notre théâtre pendant trois mois consécutifs. C'était déjà une saison longue si l'on considère que nous n'avions que douze ballets. »

Le marquis, malgré ces difficultés inattendues, espère donner une dimension internationale à sa jeune compagnie : *« Ensuite, nous reçûmes des propositions pour faire des tournées au Mexique, en Amérique du Sud et en Amérique centrale. Mais là, nous nous aperçûmes aussi de l'hostilité des gens en place envers l'intrus que j'étais et qui prétendait, après tant d'autres compagnies, prendre part en même temps qu'elles au marché mondial. Ainsi, la guerre était déclarée contre moi. Toutes les autres compagnies circulaient et avaient des facilités de transport. Comme cela se passait pendant les hostilités, à nous, on nous disait, pour dissimuler le refus, que tout le matériel de transport était réquisitionné pour l'armée. Il nous a fallu renoncer au projet de voyage. Le cœur meurtri, j'ai congédié mes jeunes artistes et tous ont trouvé du travail dans d'autres compagnies et dans les théâtres de Broadway. Quelques-uns seulement, les plus avancés, m'étaient restés fidèles. Dans ces circonstances difficiles, la guerre avait pris fin et c'est alors que j'ai reçu des propositions de la Principauté de Monaco pour monter le Ballet de Monte-Carlo. J'acceptai. Cela dura deux ans. Mais après des déceptions qu'il vaut mieux oublier, je me suis éloigné. Je voulais monter ma troupe à Paris. Impossible de trouver un théâtre. On nous refusait systématiquement l'accès de ceux-ci. Alors, pendant une période de grève des transports, nous avons commencé une série de spectacles à l'Alhambra, derrière la place de la République. Il nous fallait presque nous cacher comme des coupables. Enfin, à force de patience et de persévérance, nous avons réussi. »*

Les raisons de cette réussite tiennent pour beaucoup au choix des danseurs. C'est leur qualité artistique qui assurera en grande partie le succès de la compagnie pendant quinze ans : « *Mes artistes, je les ai choisis proportionnés, capables de devenir maîtres de leur corps. J'ai protégé ceux qui sont tenaces, musiciens et patients et surtout ceux que je crois intelligents. Voilà les qualités que j'apprécie chez un danseur. Ils doivent comprendre que la danse est l'illusion, qu'il ne faut pas laisser voir l'effort, qu'il faut acquérir le style par l'élégance du geste, par le raffinement de l'harmonie. Il ne suffit pas de s'acharner à réussir des pas difficiles. Tout doit être parfait, tous les pas fondus et liés dans un ensemble harmonieux où le geste et le rythme s'accordent pour charmer l'ouïe autant que la vue. Nous savons que l'artiste est arrivé à cette perfection, qu'il a rempli sa mission, lorsqu'en l'admirant, nous nous enrichissons d'images inoubliables qui nous aident à effacer, même si ce n'est que pour quelques instants, les tracas et les routines de notre existence quotidienne. Ils nous versent l'oubli des misères de la vie. J'explique souvent à mes artistes que la danse est mouvement, qu'entraîné par le jeu de l'action, un être s'oublie et surpasse ses propres forces. Il abandonne son corps à l'épreuve mais son esprit veille et, dans un accord parfait avec le rythme, il dirige le corps dominé et obéissant jusqu'aux frontières du subconscient, et le miracle s'accomplit... Je dis miracle, car la danse parfaite est surnaturelle ; mais ce miracle est le résultat d'une technique admirable, au service de l'expression ; ce qui ne s'obtient que par un travail intelligent, acharné et constant. »*

Si le véritable traité d'esthétique de la danse qui conclut ce récit n'a rien de spécialement original ni de bien nouveau, il résume ce que seront toujours les goûts du marquis en la matière. Il restera fidèle à cet idéal de beauté stylistique et de perfection technique dans l'exécution, moins pointilleux parfois sur la qualité de la chorégraphie, voire sur celle des livrets ou même des décors. On aura aussi noté avec quel plaisir il se livre à la description des petits vers devenant Sylphides. Quelle belle occasion de jouer au poète ! Le marquis se piqua toujours de poésie et d'écriture, jetant sur des carnets petits poèmes et pensées qui, bien que révélateurs de sa vivacité d'esprit et d'une bonne maîtrise de notre langue, ne méritent pas forcément de passer à la postérité.

Cette première soirée parisienne de l'Alhambra représentait à plus d'un titre une victoire et une revanche. Victoire, d'abord, sur les forces rivales qui avaient tenté d'empêcher ce spectacle parisien. Victoire aussi du « petit métèque » capable d'éblouir la ville de ses rêves. Revanche, enfin, sur l'échec américain de l'International Ballet à New York en 1944. Le marquis se dit victime d'intrigues et de jalousies. Peut-être, mais surtout l'Amérique tournait radicalement le dos à l'héritage supposé des Ballets Russes qui fascinait encore l'Europe, et s'ouvrait à une modernité dans laquelle la démarche d'un marquis de Cuevas n'avait guère de place. Malgré son échec, l'International Ballet ne fut pourtant pas inutile. Il permit ensuite au Grand Ballet du Marquis de Cuevas de revendiquer la nationalité américaine. Il lui permit aussi et surtout d'apporter à Monte-Carlo un capital important où figuraient un ballet décoré par Salvador Dali, *Tristan fou*, si discuté par la suite et dont des morceaux de décor peints par le maître surgissent encore aujourd'hui comme par magie dans certaines ventes aux enchères, et plusieurs ballets de la grande Nijinska. Pour le marquis, reprendre la compagnie de Monte-Carlo, outre le plaisir que cela lui procurait, était donc un moyen de sauver ce patrimoine artistique.

Mais revenons au marquis de Cuevas jeune étudiant à Paris. Dans ses souvenirs, il parle de sa femme et de la position sociale à l'évidence brillante qu'ils occupent tous deux à New York. Comment en est-il arrivé là ?

Il n'est pas toujours facile de retrouver la trace de George de Cuevas pendant l'entre-deux-guerres. Paris est sa deuxième patrie. Il en aime la beauté, les fastes, les mille possibilités de se cultiver. Il passe son temps dans les théâtres, aux concerts, à l'Opéra. Mais il est avant tout fasciné par la brillante société qui y règne, détentrice des clés de tout ce qu'il vénère dans la capitale. Même s'il n'est pas pauvre, il n'a pas assez de fortune pour y entrer de plein droit. Il doit trouver d'autres moyens. Une fois encore, de multiples versions circulent sur ce sujet comme sur tant d'autres. Les plus mauvaises langues le dépeignent sous les traits d'une sorte de danseur mondain, avide de relations dans la haute société. C'est peu vraisemblable, car non conforme à ce que l'on sait de son caractère, fantaisiste, certes, fantasque même, mais toujours empreint d'une aristocratique dignité incompatible avec cet emploi. En revanche, pour gagner sa vie, il exerce certainement divers métiers plus ou moins marginaux mais plus honorables, comme, dit-on, courtier en bijoux ou en objets d'art. Activité plus en harmonie avec ses goûts et susceptible de le mettre en contact avec les riches Parisiens qui deviendront ses amis. Il travaille certainement pour la maison de couture que le prince Youssoupov a fondée à Paris avec sa femme, la grande duchesse Irina. Assassin de Raspoutine, cet héritier de l'une des plus grandes familles de Russie, alliée à la famille impériale, est parvenu à fuir son pays au moment de la révolution de 1917 avec une partie des bijoux de sa femme, nièce du tsar. Le ménage s'efforce de vivre en revendant ce capital trop vite épuisé, d'autant que certaines pièces, comme un très précieux collier ayant appartenu à Marie-Antoinette, ne trouvent pas acquéreur. On prétend qu'il porte malheur ! Avec beaucoup de courage, le prince et son épouse décident de tenter leur chance dans la haute couture. Leur clientèle est naturellement constituée des fortunes les plus en vue d'Europe et d'Amérique. George de Cuevas y est-il portier ou livreur comme le prétendent certains ? Voyage-t-il, en Italie notamment, pour recopier dans les musées des modèles de bijoux destinés aux collections de couture des Youssoupov ? Une chose est sûre : il met de côté dans un but bien précis la plus grande partie de ses gains. Il loue un vaste studio près de l'Alma où, environ une fois par mois, ses économies lui permettent d'inviter des gens du meilleur monde, de plus en plus nombreux, séduits par l'exceptionnelle convivialité de leur hôte. Cette belle société deviendra son principal soutien et son public après la guerre. Surtout, c'est là qu'il rencontre et séduit l'héritière de l'une des plus grosses fortunes du monde, Margaret Strong-Rockefeller. Cliente des Youssoupov, la petite-fille du célèbre milliardaire John D. Rockefeller aurait rencontré Cuevas à Paris où il livrait des robes, ou, selon une autre version, à Florence alors qu'il y copiait des modèles de bijoux. Coup de foudre et conte de fée à l'envers, le berger épousant la princesse ? Toujours est-il qu'ils tombent amoureux, et se marient le 3 août 1927.

Tout au long de sa vie, le marquis gardera la faculté de transmettre son enthousiasme, sa joie de vivre, qui le rendent immédiatement sympathique à tout le monde. Ceux qui l'ont approché parlent avec admiration de son rayonnement naturel, cette manière d'animer dans l'instant la moindre conversation ou réunion amicale. On se rend avec joie à ses réceptions mensuelles raffinées, où le maître de maison brille autant qu'il met ses hôtes en valeur. George de Cuevas est en cela l'héritier direct de cet *Esprit des Lumières* qui assura le rayonnement de la France au XVIIIe siècle, époque où l'art du salon et de la conversation furent à leur apogée. Drôle, gai, spirituel et surtout sans méchanceté, le marquis est la séduction même. Rosella Hightower en parle toujours avec émotion : « *C'était un homme avec un cœur gros comme ça ! Il était tellement enthousiaste ! Il parlait parfaitement français et il était toujours intéressant, racontant des histoires infinies. C'était un conteur magnifique. On l'aimait parce qu'il était gai mais jamais cuistre. Il voulait que l'on soit joyeux, que l'on s'amuse. Il souffrait beaucoup d'une extrême sensibilité, mais ne voulait absolument pas le montrer. Malheureux, il faisait tout pour le cacher. D'ailleurs, il ne voulait pas non plus que les autres souffrent. S'il jugeait qu'il fallait contrecarrer quelque trait mondain lancé devant lui, il le faisait avec humour, sans blesser personne. Il n'hésitait d'ailleurs pas à employer aussi cette arme contre lui-même. S'il adorait tant le monde, c'était pour pouvoir s'exprimer, amuser, raconter ses histoires. A peine entré dans une pièce, il était embarqué dans*

23

des récits incroyablement drôles et l'atmosphère la plus lugubre se détendait en deux secondes. Mais la mondanité était pour lui une profession qu'il prenait très au sérieux. Il ne supportait pas ceux qui le faisaient avec méchanceté. Il avait en particulier beaucoup de tendresse pour toutes les familles royales en exil ou les grands nobles dépouillés de leurs privilèges. Il savait tout d'eux et de leurs ancêtres, souvent mieux qu'eux-mêmes. Il avait un vrai souci d'eux et de leur vie, ayant toujours peur qu'ils manquent du nécessaire. C'était surtout vrai pour les Russes émigrés après la révolution et qui, réfugiés en France, manquaient de ce qui était leur quotidien, autrefois. Il s'efforçait de les inviter dans les meilleurs restaurants, non seulement pour être sûr qu'ils mangent bien mais pour qu'ils renouent un peu avec leur lustre d'antan. Dans la vie comme en art, il était l'ennemi de la routine et de la médiocrité. Il a sûrement fait parfois des choix esthétiques discutables, mais on ne peut l'accuser d'indifférence artistique. L'indifférence était ce qu'il haïssait le plus. Il préférait laisser libre cours à ses émotions, quitte à aller trop loin. Et finalement, en conclusion de toutes ses scènes et de tout son jeu souvent théâtral, c'était sa bonté naturelle qui l'emportait. Dans la vie, ses plus graves ennuis lui sont venus de son incapacité à dire "non". Il aimait tant faire plaisir en disant "oui" qu'il s'est souvent laissé entraîner dans des aventures qu'il avait ensuite bien du mal à maîtriser ! » De son côté, George Skibine, l'une des plus grandes stars de la compagnie, confiait à *Art et Danse*, après la mort du marquis, les mêmes impressions sur son immense joie de vivre et sa foudroyante capacité à lutter contre l'ennui : « *Le marquis se tenait debout près d'un grand tableau de Salvador Dali. Dali lui expliquait son œuvre. "Oui, oui, disait le marquis, en tout cas, il me plaît. Et à toi ?... — Moi, je le trouve très beau. — Tu as raison et tu verras, nous ferons des choses aussi belles et même plus belles, Nijinska, Massine seront avec moi et toi, il faut que tu viennes danser pour moi." Cela se passait le jour du Nouvel An 1946. Je venais de débarquer à New York après cinq années d'absence, cinq années de guerre. Des amis m'avaient amené chez le marquis que je ne connaissais pas, mais "tous les danseurs étaient invités", et ils étaient tous là, les anciens des Ballets Russes, actuellement professeurs, les jeunes, les étoiles, le corps de ballet, les modernes et les classiques. Dans un salon, Antonio dansait accompagné de ses guitaristes et d'un danseur caucasien avec ses couteaux. Il y avait aussi les grands de la finance américaine, les vedettes de Broadway, les peintres, les musiciens, les avocats... les avocats qui ne purent jamais gagner un procès pour le marquis. Un an après, je partais avec le marquis pour Monte-Carlo. Le marquis emmenait avec lui Hightower, Tall-chief et Eglevski. Plus tard, il nous appela "sa famille spiri-tuelle". Il emmenait aussi Svetlana Beriosova, petite fille de treize ans en laquelle il avait déjà vu une future étoile. Et l'aventure magnifique commença pour Marjorie et moi. Elle dura dix années. Dix années d'espoir, de travail, de succès, de désillusions, quelquefois de gloire, parfois de tristesse, mais jamais, jamais d'ennui. Avec le marquis, on ne pouvait pas s'ennuyer. Il vivait chaque moment de sa vie et nous apprenait à vivre. Si un dîner à la terrasse du Danieli à Venise était brillant, un casse-croûte après le spectacle dans un bistrot de Tunis était aussi mémorable. Une première à Londres ou à Oviedo, pour le marquis, il n'y avait pas de différence, il jouait toujours le grand jeu* [1]. » Le souvenir que garde Guy d'Arcan-gues de sa première rencontre avec le marquis confirme encore qu'il était l'un des principaux animateurs de la haute société new-yorkaise : « *C'était à New York après la guerre. Je l'ai vu chez Marie-Hélène Van Zuylen qui allait devenir Marie-Hélène de Rothschild, et qui avait alors dix-huit ans. Je*

---

1. *In Art et Danse*, numéro spécial en hommage au marquis de Cuevas.

vivais dans une petite chambre minable mais j'étais invité au Waldorf Astoria dans l'appartement des Van Zuylen où il y avait des dîners somptueux avec Dali, Garbo, Cuevas. Je me rappelle un personnage fascinant, un peu efféminé, mais avec un charisme extraordinaire et un véritable amour de la danse. Tous ceux qui aimaient vraiment la danse à l'époque étaient ses amis. Il était alors entouré de tous les danseurs qu'il y avait à New York. »

Cet art d'insuffler la vie dans un groupe, de susciter la sympathie, de convaincre et de séduire, George de Cuevas le possède donc au plus haut degré. Au XVIIIe siècle, il aurait reçu chez lui Diderot, d'Alembert, Voltaire, les Choiseul, la duchesse de Luxembourg et Mme du Deffand. Sa fille, Elisabeth de Cuevas, aujourd'hui sculpteur à New York, le confirme : « *Mon père était un personnage extraordinaire, d'une autre époque. Tout le monde a un rêve du passé que l'on cherche à reproduire dans sa vie. Son rêve était celui d'une société brillante, intelligente, proche de celle du XVIIIe siècle, encore plus de celle du siècle de Louis XIV, et d'un idéal de danse du début du XXe siècle. Il s'est efforcé de rassembler les deux. C'était par nature un fabuleux publicitaire, mais sans notions pratiques. Ma mère avait davantage le sens des affaires. Lui, plus celui de la fête. Il s'emportait facilement surtout quand il racontait une histoire. Alors, son visage était nu. Il ne savait pas feindre. Quand il le faisait, c'était tellement évident ! Seuls s'y laissaient prendre ceux qui ne le connaissaient pas ! Il mélangeait admirablement les genres car il pouvait parler de n'importe quoi, mais ce n'était pas un homme moderne. Il avait des idées d'Ancien Régime. Quand je me suis mariée en épousant un roturier, il n'a pas été du tout d'accord. Il aurait voulu que je devienne duchesse. Il n'avait certainement pas rêvé d'un mariage d'argent, mais d'un grand mariage aristocratique. Puis nous nous sommes vite réconciliés. Quand il est arrivé à Monte-*

Carlo pour reprendre la compagnie, on s'est beaucoup moqué de ses douze pékinois blancs identiques qui ne le quittaient jamais. On a pensé que c'était une attitude mondaine, une sorte de jeu théâtral destiné à se faire passer pour excentrique et amuser la galerie et les journalistes. En fait, mes parents adoraient tous deux les animaux et ces pékinois étaient un véritable lien entre eux deux. Quand mon père était enfant, au Chili, il avait plein de perroquets et un singe. Celui-ci était son protégé et il le gâtait beaucoup. Mon père adorait raconter comment le singe avait élu domicile dans un noyer du jardin. Chaque fois que la cuisinière tentait de cueillir des noix, il la bombardait jusqu'à ce qu'elle abandonne. Un jour, c'est elle qui a gagné et elle est parvenue à le déloger. Il s'est réfugié dans la chapelle et, pour se venger, il a volé la statue de la Vierge dans sa châsse ! En fait, mon père était un idéaliste et je lui suis très reconnaissante car il m'a donné le goût de servir la beauté, ce que je fais moi aussi maintenant. Il m'a encouragée dans ce sens. »

Qui est donc cette Margaret Strong-Rockefeller tombée sous le charme du marquis ?

Si le marquis de Cuevas passe pour un extraordinaire personnage de théâtre, image qu'il cultiva d'ailleurs soigneusement, la marquise, malgré une apparence discrète, ne l'est guère moins, mais à sa manière. Personnage de l'ombre, à la fois absente et omniprésente, toute-puissante mais dévouée à son époux, et surtout mal connue de tous, Margaret Strong-Rockefeller rappelle les héroïnes de Proust ou de Henry James, comme le dit sa fille Elisabeth de Cuevas. Elle assiste à la plupart des grandes premières, voyage parfois à l'étranger avec la compagnie, mais les cercles d'amis parisiens du marquis ne la connaissent quasiment pas. Elle n'aime pas leur univers dans lequel elle apparaît rarement. A quelques exceptions près, les danseurs ne font que l'apercevoir. *« Je n'ai jamais connu la marquise*, dit Béatrice

Consuelo, pourtant l'une des jeunes stars de la compagnie. *On ne l'a presque jamais vue, même quand elle a pris la direction du ballet la dernière année. On savait seulement que c'était elle qui payait et que c'était souvent compliqué.* » Même témoignage de la part de la grande ballerine Nina Vyroubova : « *C'était une dame charmante, mais elle ne se jetait pas au cou de tout le monde comme son mari. C'est pourquoi beaucoup la jugeaient froide et timide. En fait, elle était réservée. Pour moi c'était une dame. Je crois que la danse ne la passionnait pas vraiment. Elle suivait par attachement pour le marquis, mais cette vie, à l'évidence, n'était pas son idéal.* » De la classe, elle en avait sûrement. De la gentillesse aussi comme en témoigne cette anecdote racontée par Marjorie Tallchief : « *J'avais rencontré la marquise après un spectacle à Paris. Elle savait que j'avais des enfants, des jumeaux, et, à mon grand étonnement, elle que l'on disait toujours assez distante et lointaine, manifesta le désir de faire leur connaissance. Elle m'invita à venir prendre le thé chez elle, quai Voltaire, avec les deux garçons. Je leur avais fait la leçon pour qu'ils se tiennent bien, car j'étais moi-même à la fois très touchée et très intimidée par cette invitation, sachant qu'elle pratiquait très rarement ce genre de rapport social avec les danseurs de la compagnie. Elle nous a reçus très aimablement dans cette grande pièce d'entrée de l'appartement du quai Voltaire, une pièce magnifique mais encombrée d'un grand nombre de cartons. Naturellement, malgré mes recommandations, mes fils n'ont pas tardé à les ouvrir et à sortir leur contenu, des robes en quantité. J'ai voulu tout de suite les arrêter, mais elle m'en a empêchée, me disant de les laisser faire. Ils ont mis une pagaille pas possible ! Elle avait sincèrement l'air de trouver cela charmant. C'était une femme timide, et elle devait être plus à l'aise dans ce genre de situation simple et familiale que parmi les milliardaires et altesses qui entouraient habituellement son mari. D'ailleurs, aux réceptions qu'il donnait, si elle était à Paris, elle ne faisait qu'une apparition.* »

Elle n'aime pas la société parisienne qui papillonne autour de la compagnie, certes, mais est-elle si peu influente que cela ? Les collaborateurs du marquis laissent entendre qu'elle sait, de loin, tirer certaines ficelles : « *La marquise détestait le monde,* dit Jean-Michel Damase, musicien omniprésent dans la compagnie et compositeur entre autres du génial *Piège de lumière. On la voyait très peu. Mais il y avait des clans et elle avait les siens. Elle aimait beaucoup Ana Ricarda, qu'elle patronnait. Ricarda, écossaise de naissance, s'était convertie en danseuse espagnole et la marquise l'appréciait beaucoup. Elle aimait aussi Nijinska et, pour les embêter, elle adorait la faire venir quand elle trouvait que le marquis s'entendait trop bien avec Skibine et avec Taras. Ils n'avaient pas tout à fait la même conception du style. Skibine et Taras étaient plus américains que russes et pratiquaient une danse assez sobre et rigoureuse. Nijinska était plus russe que nature et trouvait ce qu'ils faisaient trop "petit". Elle voulait qu'on danse "grand, très grand". Alors, quand elle arrivait, elle s'empressait de faire travailler à sa manière ce que Skibine ou Taras avait fait travailler à leur manière. Je crois que ce petit jeu amusait beaucoup la marquise.* » D'autres indices intéressants apparaissent dans les propos de John Taras : « *Elle était beaucoup plus sombre que son mari et assez difficile à suivre. Elle aimait bien, je crois, voyager avec la compagnie, mais on ne savait jamais à quoi s'en tenir avec elle. Elle passait son temps à faire des réservations et à les annuler. J'ai eu entre les mains un certain nombre de lettres d'elle. C'était assez pathétique car on voyait à quel point elle aurait aimé que son mari fût plus souvent là, plus proche d'elle. Mais c'était une femme d'une intelligence brillante, l'une des toutes premières, sinon même la première, à être entrée à Cambridge.* »

Sous son apparence discrète et effacée, Margaret Strong-Rockefeller est en fait une femme exceptionnelle. Aînée de la fille aînée du grand Rockefeller, elle a failli échapper à l'héritage de la plus grosse fortune du monde. Le vieil homme avait organisé sa succession en ce qui concernait ses enfants mais Margaret n'était que sa petite-fille, et apparemment rien de spécial n'était prévu pour elle. A quatre-vingts ans, l'essentiel de sa fortune, colossale malgré tout ce qu'il a dépensé en fondations humanitaires et artistiques dans le monde entier, a été légué à son fils. Le mariage de Margaret le rappelle à ses devoirs. Il lui promet, dit-on, de lui réserver ses économies, lorsque, après le mariage à l'église américaine de Paris, Margaret vient lui présenter son mari. Ni ce dernier ni elle n'ont prêté la moindre attention à cet oubli du grand-père, pas plus qu'à ses vagues promesses. Une bonne dizaine d'années s'écoulent alors, pendant lesquelles le ménage Cuevas côtoie dans la plus grande harmonie le vieux milliardaire ravi de la fantaisie et de l'animation que le marquis apporte dans une famille austère. Un beau jour, l'aïeul Rockefeller leur annonce qu'il a pris soin de l'avenir de Margaret en lui léguant tout ce qu'il a investi depuis leur mariage. C'est munis de cette grosse fortune qui achève de leur ouvrir le monde des nantis et des célébrités que les Cuevas se lancent au début de la guerre dans la création de leur école de danse. Après la mort dramatique d'un petit garçon encore nouveau-né, ils ont deux enfants, Elisabetta Alexandra, l'aînée, et John Dawson Alexander, le cadet né en 1930. La vie de jeune fille de Margaret n'a pas été rose. Son père était le fils du pasteur baptiste Augustus Strong. Ce personnage a joué un rôle fondamental dans la vie de John Davison Rockefeller : en lui conseillant de consacrer une partie de sa fortune aux bonnes œuvres et au mécénat, il lui a évité les sanctions de l'Etat américain qui commençait à mettre en doute la légalité et la moralité de ses trusts. Il l'a convaincu de restituer une partie de sa fortune, ce don de Dieu, aux déshérités. Très proche de la famille, son fils avait donc épousé Bessie, la fille aînée de John D. Ils n'ont qu'un seul enfant, Margaret, âgée de huit ans à la mort de sa mère. La fillette est donc élevée par ce fils de pasteur, rigide et très strict, mais intelligent, cultivé, entouré d'intellectuels et de philosophes. Il commence par l'envoyer en Angleterre, dans une de ces pensions rudes pour enfants de la haute société. On y dort fenêtres ouvertes même en hiver et la discipline ne laisse guère de place à la joie ni à l'épanouissement personnel. Mais Margaret y poursuit des études poussées, jusqu'à l'université de Cambridge, à une époque où ces institutions sont encore l'apanage des hommes. Mariuchka de Freedericksz est, avec Rosella Hightower, l'une des rares personnes de l'entourage immédiat du marquis ayant vraiment bien connu la marquise : « *Quand elle m'a vue, elle a décidé on ne sait pourquoi que j'étais bien ! Si je suis restée dans la compagnie, c'est en partie à cause d'elle et j'ai continué à travailler avec elle jusqu'à sa mort. Elle était spéciale, mais intelligente, avec une grande culture. Elle avait côtoyé beaucoup de gens remarquables dans l'entourage de son père, notamment en Italie. Elle avait beaucoup lu, et comme elle avait une excellente mémoire, ce n'avait pas été en vain. Outre l'anglais, elle parlait plusieurs langues, le français, l'espagnol, l'italien.* » Sa fille Elisabeth de Cuevas, confirme : « *Ma mère dessinait très bien. Elle faisait de l'aquarelle. Elle aurait adoré chanter. Elle était infiniment intelligente, ce que personne n'a jamais compris. Elle était aussi très innocente, mais elle avait un sens des gens inouï. Quand elle s'est mariée, elle ne savait rien de ce qui l'attendait. Quand on est dans un piège, l'intelligence consiste à accepter, mais elle n'a jamais été dupe de quoi que ce soit. Je n'aurais pas pu vivre la même vie qu'elle, mais elle était d'éducation anglaise. On ne doit pas montrer ses sentiments :* never explain, never complain ! »

Les opposés s'attirent. C'est la réponse à la question que tout le monde se pose inévitablement sur cette union entre un Cuevas fougueux, mondain, brillant, boute-en-train, aimant le faste, les réceptions, toujours entouré de belles femmes et de beaux garçons, et cette jeune femme si intelligente mais bien peu concernée par tout ce qui passionne son futur mari. Elle est issue d'une éducation rigide et le marquis incarne à ses yeux le dérivatif absolu. Pour Rosella Hightower, « *ils étaient tellement contraires tous les deux qu'ils s'entendaient à la perfection. Ils se faisaient souffrir l'un l'autre pour leur plus grand plaisir* ». Leur jeu préféré a souvent pour objet l'argent. Un jeu parfois assez cruel et en tout cas répétitif. La compagnie coûte toujours plus que prévu. A moins que ce ne soit aussi les fêtes données par le marquis. Toujours est-il que l'argent vient fréquemment à manquer, chose douloureuse pour l'un comme pour l'autre. Dans une lettre de 1954, le marquis exprime sa souffrance en ces termes : « *Je vis toujours dans l'espoir d'un miracle, mais je n'ai pas la foi de sainte Thérèse d'Avila. Il faut prier et j'ai oublié comment. Je suis malheureux parce qu'on attend de moi de l'héroïsme et je ne suis qu'un inconscient !* » De même il écrit un peu plus tard : « *Je dois avouer que systématiquement je m'étais désintéressé du ballet pour arranger la situation et donner l'impression à ma femme que je voulais me reposer loin de tout. Elle est devenue indifférente parce qu'elle a perdu le moyen de me torturer, mais en échange elle refuse de donner davantage et la situation devient tragique.* » En pareille circonstance, tous ceux qui ont connu le marquis le confirment, ce dernier a une méthode imparable pour attendrir son épouse, qui certainement ne demande que cela. Il fait savoir qu'il est gravement malade : on ferme portes et fenêtres, on ne reçoit plus personne, le téléphone sonne dans le vide. Au bout de deux à trois jours, la marquise cède. L'argent arrivé, fenêtres et portes se rouvrent et la foule des habitués reprend le chemin de la ruelle du quai Voltaire. Néanmoins, le marquis a l'élégance de rappeler, aussi souvent que possible, que c'est à la générosité de la marquise que la compagnie doit son existence.

Intelligente, cultivée, généreuse, la marquise a elle aussi ses faiblesses. Des faiblesses de cœur, notamment, naturelles chez cette femme délaissée par un mari qui ne s'occupe pas davantage de ses enfants : « *Ils furent un peu pour nous des parents terribles* » avoue Elisabeth de Cuevas. Elisabeth et John n'ont certainement pas une vie de famille très conforme aux normes habituelles. La marquise cultive donc ses passions personnelles, plutôt de l'autre côté de l'Atlantique, et finira même, après la mort du marquis, par épouser un homme de trente ans plus jeune qu'elle, Raymond de Larrain. Une union encore plus étonnante que son premier mariage, d'autant que Larrain aurait, dit-on, peu d'attirance pour le beau sexe. Son amie Mme de Freedericksz analyse ces secondes noces étranges : « *Elle a toujours été fidèle au marquis dans le type de rapports qu'ils avaient établi, mais elle a eu d'autres personnes dans sa vie. Elle avait certainement une faiblesse pour Larrain. Ils tentèrent ensemble de sauver la compagnie. Sans succès. Le marquis, conscient de l'hostilité de sa famille envers elle, avait tendance à lui dire qu'après sa mort on la mettrait en tutelle. Larrain s'est probablement servi de cela. Au moment de la mort du marquis, elle a aussi perdu quelqu'un à qui elle était très attachée. A-t-elle eu peur de se retrouver seule ? Larrain a-t-il brandi cette menace de tutelle en se présentant comme le seul sauveur possible ? A l'annonce de ce remariage, la famille s'empressa de lui retirer le trust et de le remettre aux enfants, ne lui laissant que les intérêts. C'était déjà considérable. Quand elle mourut en 1985, la famille intenta un procès à Larrain, arguant que la fortune avait considérablement fondu. On l'accusait notamment de s'être fait construire une somptueuse villa au Chili. Au procès, il est apparu déjà très malade et il est mort, finalement, peu après la marquise, en 1988. »*

Personnage étonnant que cette marquise qui dépense tant pour la danse sans l'aimer vraiment. Plus que la danse en soi, elle aime en fait certains ballets, *Petrouchka* en particulier. D'ailleurs, selon les dires des collaborateurs du marquis, elle n'intervient dans la vie de la compagnie que pour y semer le désordre. C'est sa fantaisie à elle : puisqu'elle paye, elle ne veut voir que ce qu'elle aime. Il en résulte de continuels changements de programme de dernière minute, qui exaspèrent public et danseurs et même compromettent entre autres une tournée à New York. « *Elle était assez difficile*, confesse John Taras, *car si elle aimait voyager avec la compagnie, elle passait son temps à faire des réservations et à les annuler !* »

La marquise est-elle une femme élégante comme bon nombre de ses consœurs milliardaires américaines ? Apparemment non. Elle se rend pourtant chez les plus grands couturiers. Mais ayant reçu de solides notions de couture comme toute jeune fille élevée dans un bon pensionnat, elle « améliore » volontiers à sa manière le modèle acquis… et en détruit dans l'instant tout le chic ! Sans méchanceté et avec un humour très anglo-saxon, Rosella Hightower s'en amuse encore : « *Elle n'était pas vraiment belle mais elle était surtout douée pour ne pas être à la mode. Certaines femmes, moins gâtées que d'autres par la nature, ont le sens de ce qui peut les mettre en valeur et estomper leurs défauts. Cette pauvre marquise avait le sens contraire, celui de ne pas être jolie au moment où il fallait l'être ou de mettre ce qui ne lui allait pas. Le sens de l'élégance, si on ne l'a pas en soi, ça ne sert à rien d'y mettre beaucoup d'argent. Je crois que profondément, ça lui était égal. Elle était peut-être trop intelligente pour s'intéresser à ces futilités. Car elle ne s'habillait pas que chez les couturiers. Si une robe de Prisunic lui plaisait, elle l'achetait, parfois en quinze exemplaires, comme pour s'assurer d'être débarrassée de cette corvée pour longtemps. Et il lui arrivait de ne jamais ouvrir les cartons une fois livrés !* » Gageons que c'étaient ceux dont les jumeaux Skibine avaient si allègrement éparpillé le contenu lors du « thé » de Marjorie Tallchief dans le grand salon du quai Voltaire !

La marquise est non seulement un personnage hors du commun, mais la pierre angulaire de toute l'aventure Cuevas. Après la mort du marquis elle passera encore une année à tenir à bout de bras la compagnie, avant d'abandonner, épuisée : « *Je suis lasse de toujours donner sans que jamais personne ne m'aide*, déclara-t-elle alors. *Après tout, je ne suis pas la seule femme riche au monde !* » Elle n'a pas tort, mais témoigne aussi de son exceptionnelle générosité. « *Les gens riches, aujourd'hui, ont parfois une vocation de spectateur, jamais une vocation de mécène. Ils viennent volontiers nous applaudir, mais nous aider, c'est autre chose.* » En s'adressant en ces termes à la compagnie, lors des derniers spectacles, Larrain rendait indirectement le plus bel hommage à la marquise. Femme mystérieuse et spectatrice incertaine, elle n'a jamais failli à son rôle de mécène ni d'épouse aimante.

Les origines de George de Cuevas jouent certainement un rôle dans sa conquête de Margaret et de toute la famille Rockefeller. La société américaine, même la plus riche, a toujours eu le « complexe de l'arbre généalogique » : les milliards ne remplacent pas un nom connu depuis plusieurs siècles. Devenir marquise ne déplaît pas à Margaret Rockefeller qui a dû côtoyer maintes jeunes aristocrates lors de ses séjours dans des pensions chics de Grande-Bretagne. C'est alors que l'authenticité du titre de noblesse du marquis est mis en doute. Est-il vraiment marquis de Cuevas ? C'est la question que trouve bon de poser un quotidien du soir en octobre 1951. Comme lors du moindre événement concernant le marquis, la presse s'empare de l'affaire. Ainsi *Le Figaro* du 30 octobre : « *Si des questions d'héraldique ont été, hier, agitées sous le regard indifférent de la Marianne républicaine dont le buste poussiéreux semble présider aux débats de la 17ᵉ chambre correctionnelle, c'est qu'un journal du soir avait contesté les titres nobiliaires du marquis George de Cuevas, le célèbre organisateur de ballets, dont la troupe "vole" de pays en pays. Porteur de lourds recueils rehaussés de dorures et renfermant les parchemins qui établissent la généalogie de la famille Piadra Blanca de Cuevas, dont l'ancêtre Juan vit le jour en l'an 1540, le marquis avait, au début de l'après-midi, quitté son appartement du quai Voltaire, jadis occupé par Cécile Sorel, pour venir convaincre les magistrats de la 17ᵉ chambre et réclamer deux millions de dommages-intérêts au journal qui, dit-il, le diffama en essayant de ternir son blason. Son conseil, Me Utudjian, tirant de sa serviette le grand livre, richement armorié, de la noblesse espagnole, entreprit de démontrer que le marquisat avait été conféré en 1697 à la haute lignée des Cuevas, ainsi que l'attestaient les archives du Conseil du sceau, et que, suivant les étapes de la transmission successorale, cette dignité échut à son client, huitième marquis du nom de Cuevas, le roi Alphonse XIII et le duc d'Albe l'ayant eux-mêmes jadis salué à ce titre… A huitaine le tribunal statuera.* » Le marquis gagne ce procès et des dommages-intérêts, annonce la presse le 13 novembre suivant. Et pourtant, un étrange rebondissement surviendra après sa mort. Il semblerait en effet que la marquise de Cuevas ait tenté des démarches en Espagne, auprès du général Franco, pour que le titre de marquis revienne à son fils, le marquisat en question étant chilien et non espagnol, comme l'avait pourtant affirmé le marquis, corroboré par la justice française en 1951. Le marquis aurait également essayé en vain d'obtenir cette reconnaissance de son vivant. Son arbre généalogique, couramment disponible, est formel : « George marquis de Cuevas descend, en ligne légitime des marquis : de Santa Maria de Otavi, de Piedrablanca de Guana, de Montepio. » Il fait bien remonter ses origines au XVIe siècle, mentionne divers titres honorifiques de ses différents ancêtres, mais le seul titre de marquis mentionné dans la généalogie elle-même est celui accordé en 1931 – ou alors reconnu ? – par décret royal à George lui-même. Il s'agit du marquisat de Piedrablanca de Guana. Les autres n'apparaissent pas sur ce document établissant la filiation directe. Tout cela demeure donc un peu confus, mais surtout secondaire : marquis chilien, grand d'Espagne, ou marquis un peu tardif, George de Cuevas est avant tout un aristocrate de la danse et de l'art. Et comme l'écrit *France-Soir* à l'annonce du procès : « *Qu'est-ce que cela peut bien faire, grands dieux, à ceux qui vont applaudir les ballets, et encore plus à ceux qui les ignorent ?* »

Désormais, toute la vie, publique et privée, du marquis est dépendante de celle de son Grand Ballet. Son mode de vie et les événements qu'il crée vont dévoiler au fil des ans les aspects encore ignorés de son caractère. Mais pour l'heure, l'attention se porte d'abord sur les danseurs, les atouts-maîtres de cette bataille à l'issue incertaine. Presque tous les danseurs importants de l'époque séjournent en effet dans la compagnie, pendant plusieurs années ou pour quelques spectacles. Les Américains, arrivés avec le marquis à Monte-Carlo, et les premières recrues de la troupe, comme Serge Golovine, sont restés emblématiques.

La plus populaire de tous, celle que le marquis appelait sa fille, est Rosella Hightower. D'origine indienne, et les médias exploitèrent beaucoup ce trait exotique, elle est née dans l'Oklahoma en 1920. Entrée en 1939 dans l'école ouverte par le marquis elle n'a fait alors que l'apercevoir. Mais il l'a d'emblée remarquée, et songé à elle pour l'avenir. Elève de Fokine et d'Anatole Vilzak, elle débute au Ballet Theatre puis à l'American Ballet Theatre où elle se distingue par sa rigueur et sa technique. Purement classique, elle remplace un jour au pied levé à New York l'illustre Alicia Markova dans *Giselle*. Le marquis est là. C'est pour tous deux la chance de leur vie : « *Il était avec tout un groupe de mondains new-yorkais, raconte Rosella. Je l'ai vu arriver dans les coulisses. Il est tombé à genoux. Il m'a pris les deux genoux dans ses bras et il m'a embrassée. C'était un choc ! Je n'avais pas l'habitude. C'était ses côtés extrêmes. Il exprimait. Mais c'était aussi son show. Pour moi, il a été unique : "Ecoute, tu viens, tu m'écoutes et je vais tout t'apprendre, comment t'habiller, comment te comporter." J'ai dit : "Marquis, on va essayer, ça marche, ou ça marche pas." Il a dit "Oui". C'était vendu. J'ai adoré le marquis. Il aimait ma façon de danser. Il aimait montrer ce qu'il ressentait et que les gens ressentent la même chose que lui. Il disait : "Si je leur montre comment tu danses, je les guide dans leur appréciation. Car ils ne savent pas tous ce qu'est la danse." Il voulait non seulement regarder la danse mais éduquer le public. C'est pour cela que par la suite, il a toujours cherché à engager les danseurs qui lui plaisaient.* » Bien avant la création de *Piège de Lumière* en 1952, ballet resté attaché à son nom, Rosella Hightower conquiert tous les publics. Visage d'un ovale parfait, immenses yeux clairs, technique de pointes et de tours fulgurante, elle triomphe à Paris dès le premier soir dans le pas de deux du *Cygne noir* extrait du *Lac des cygnes* où ses fouettés et ses tours planés ont rarement été égalés. Le lendemain, on ne parle plus que d'elle. Elle danse ensuite quasiment tous les rôles du répertoire, classiques et créations. Enfant chérie du marquis, elle se heurte peu à lui, car elle est d'un professionnalisme exemplaire. Un échange de correspondance révèle que, jeune mère de famille, elle écrit au marquis pour lui demander une augmentation, car elle a une bouche de plus à nourrir. Avec humour mais fermeté, le marquis refuse, arguant qu'il a pour sa part plus de cinquante bouches à nourrir !

Très présent dans la vie de la compagnie, le marquis se mêle pourtant peu aux danseurs. La plupart ne le voient que quelques instants, sur le plateau, avant ou après une première. Avec le ménage Skibine, Rosella est une exception. Elle participe souvent à ses mondanités, jusque dans le premier cercle des intimes. Conscient d'être son Pygmalion, il veut parfaire son éducation artistique au contact des spectacles du vieux continent. Fort intelligente, Rosella sait tout ce qu'elle peut gagner à cette intimité culturelle. Un jour, ils vont ensemble écouter Suzy Solidor. A la sortie, il n'a pas échappé au marquis que Rosella a saisi un geste d'épaules de Suzy Solidor qu'elle pourra utiliser en dansant. Dans quel ballet ? : « *Nous venons de travailler* La Sylphide, *où l'héroïne doit être très femme, spirituelle, un peu gamine, mais fine et délicate. Et justement ce geste me servira très bien dans ce rôle-là, car c'était un geste vraiment féminin, un peu sophistiqué, pas vulgaire, plein de malice. Exactement ce qu'il faut pour* La Sylphide [1]. » A ses débuts, certains journalistes sont réticents, la jugent plus technique que poétique, mais très vite Rosella Hightower croule sous les éloges. Elle évoluera d'ailleurs, et finira par être aussi convaincante dans des rôles de « demi-caractère » que dans d'autres purement classiques. A la dissolution de la compagnie, on songe même à elle pour reprendre le flambeau, mais elle préfère fonder à

---

1. *In Le Marquis de Cuevas et ses ballets*, disque coll. Hommes et faits du xxᵉ siècle, S.E.R.P.

Cannes l'institution devenue mondialement célèbre dirigée depuis 2001 par Monique Loudières.

Si tous les danseurs sont les enfants chéris du marquis, les Skibine tiennent une place particulière dans son cœur. Américain d'origine russe, George Skibine a travaillé à Paris avec les plus grands maîtres émigrés et réfugiés dans la capitale depuis la révolution, comme Olga Preobrajenska et Volinine. Il a débuté aux Ballets Russes de Monte-Carlo en 1939, est entré à l'American Ballet Theatre en 1941, juste avant d'être mobilisé. Il y a dansé notamment avec les stars que sont Boronova et Markova. Il s'est engagé en 1942 et, devenu sergent-chef de l'armée américaine, a débarqué le 6 juin 1944 en Normandie. Il participe à la campagne de libération de la France et il est l'un des premiers Américains à entrer dans Paris en août 1944, où il retrouve sa famille. De retour à New York, il hésite à reprendre la danse. La rencontre avec le marquis est providentielle : Skibine devient lui aussi en un soir l'une des stars de la compagnie. Très beau danseur classique, fin, athlétique et romantique, il danse comme Hightower tous les ballets au répertoire de la compagnie. Il en chorégraphie également plusieurs, *Roméo et Juliette*, *L'Ange gris*, *Annabel Lee*, *Idylle* et, surtout, *Le Prisonnier du Caucase*, repris encore récemment par l'Ecole de Danse de l'Opéra national de Paris qu'il crée avec son épouse Marjorie Tallchief.

Cette dernière, ravissante fille d'un chef indien Osare, est l'élève de Nijinska. Elle a une technique somptueuse, beaucoup de charme, une personnalité scénique hors du commun. Dans les ballets réglés par son mari, ils se mettent mutuellement en valeur. Mais elle est aussi magnifique dans *La Somnambule* de Balanchine ou dans *Les Sylphides*. Le public parisien et international les adopte instantanément, la presse se déchaîne et les balletomanes pleurent d'émotion quand Marjorie met au monde d'adorables jumeaux, George et Alexandre. Le marquis est parrain de l'un d'eux. Mais, désormais parents, le couple se lasse un peu des voyages et de la situation parfois chancelante de la compagnie. En 1958, ils acceptent d'entrer à l'Opéra de Paris comme étoiles et maître de ballet. Ils y demeureront un des couples favoris du public parisien. Skibine fut l'une des personnes les plus influentes de la compagnie car le marquis l'admirait beaucoup et suivait souvent ses conseils. Comme Rosella Hightower, il a vécu dans l'intimité du marquis et a pu en donner le portrait le plus exact. « *S'il était d'une parfaite simplicité avec ses collaborateurs,* rappelle aujourd'hui Marjorie Tallchief, *cela n'impliquait aucune familiarité. Même mon mari, qu'il tutoyait comme beaucoup d'autres, a toujours gardé une distance respectueuse dans son comportement.* »

Le premier partenaire de Rosella Hightower est André Eglevski. Américain né à Moscou, il a travaillé lui aussi avec les plus grands professeurs russes, Volinine, Legat en personne, Egorova et l'ex-star du Mariinski, proche de la famille impériale, la Kchessinskaïa, avant d'entrer à l'International Ballet du marquis à New York. Danseur puissant, virtuose, il plaît beaucoup aux Parisiens, mais n'a guère le temps de se forger un mythe. Il quitte la compagnie assez vite au moment où des difficultés financières ne permettent plus de salarier les danseurs. Marié, père de famille, il a besoin de revenus réguliers. Il regagne donc le New York City Ballet de George Balanchine, et Serge Golovine le remplace. En un soir, il devient l'une des figures mythiques de la compagnie. D'origine slave par son père et bretonne par sa mère, cet élève des grands maîtres russes et de français comme Ricaux est grand sujet à l'Opéra lorsqu'il choisit d'entrer chez Cuevas. Son apparition est fulgurante, dans *Le Moulin enchanté* de Lichine : tout Paris ne parle plus que de lui et des trois sauts qui soulèvent l'enthousiasme du public. Superbe danseur extrêmement complet, aussi émouvant dans le classique pur que brillant dans des rôles de caractère comme *Petrouchka*, il a marqué en profondeur tous les ballets du répertoire montés par la compagnie, puisqu'il interprétait encore en alternance avec Noureev le Prince et Oiseau bleu dans *La Belle au bois dormant* en 1961. Sa sœur Solange dansa aussi dans la compagnie, et son frère y fut étoile sous le nom de Georges Govilov, célèbre Oiseau bleu lui aussi. Très respecté et admiré par le marquis, il ne fut pourtant jamais de ses intimes comme Hightower ou les Skibine. Selon Irène Lidova, ils vivaient même « *comme des étrangers, car Serge ne s'est jamais mêlé de la vie ni des petites histoires de la compagnie. En outre, il fut le seul à s'octroyer le droit de tutoyer le marquis en disant : puisqu'il me tutoie, pourquoi pas moi ?* ».

« *C'est à Paris, ce haut lieu de l'art, que l'on boit dans les fontaines du raffinement, de l'élégance, de l'enthousiasme et de la beauté* », disait Cuevas. S'y implanter est donc une priorité, si difficile soit-elle. Y eut-il vraiment cabale pour l'empêcher de se produire lors de ses premiers spectacles de 1947 ? Ou plus simplement, peut-être, en ces temps économiquement encore précaires, était-il trop risqué de programmer une compagnie en pleine mutation. Echouer à l'Alhambra fut finalement un hasard heureux. A Paris, le public a ses habitudes. Il vient écouter un artiste dans la salle où il se produit en général, mais ne se déplace pas si ce dernier change de trottoir ou, pire, de quartier. La danse était plutôt l'apanage des arrondissements chics que celui, nettement plus populaire, de la République. Et l'Alhambra, hormis quelques premières de Chevalier notamment, n'était guère fréquenté par la société huppée des amis du marquis.

Ce dernier fait donc coup double : il ouvre à la danse une salle nouvelle, et il séduit un public différent.

Et pourtant, le pari était audacieux. Pendant les jours précédant la première, les danseurs travaillent fiévreusement, conscients de l'enjeu. L'administration aussi : il faut remplir la salle, les invitations n'y suffiront pas. Au départ, tout concourt à la catastrophe : une grève des transports est déclenchée et les contraintes financières empêchent de chauffer le théâtre... Les danseurs se gèlent pendant les répétitions et le soir de la première, le public devra garder sur le dos ses manteaux et ses fourrures. Pour couronner le tout, quelques jours avant le gala, les musiciens augmentent brusquement leurs exigences financières. Le marquis est contraint d'accepter sous peine de devoir renoncer au spectacle. La veille encore, il constate que la location est faible. Il garde son sang-froid : « *C'est normal,* assure-t-il. *Pourquoi voulez-vous que les gens se précipitent a priori pour voir une compagnie qu'ils ne connaissent pas et dont les vedettes lui sont également inconnues ? Je pense qu'ils prendront leurs places au dernier moment* [1]. »

Au soir du 7 novembre, l'Alhambra, somptueusement décoré comme le seront toujours les salles de premières de la compagnie à Paris, affiche complet : en plus de la brillante société parisienne et internationale invitée par le marquis, le public anonyme est venu en masse. Irène Lidova s'en souvient encore, accompagnée de Roland Petit sur le point de fonder les Ballets de Paris. Assis au premier rang, ils assistent au triomphe. Comme une grande partie du public, elle est surtout impressionnée par le *Cygne noir* dansé par Rosella Hightower et André Eglevski. Dans son livre de mémoires, *Ma vie avec la danse,* elle raconte : « *Le grand moment de la soirée fut la révélation des étoiles américaines. Le prodigieux*

---

1. *Ibid.*

André Eglevski que j'avais connu adolescent, élève au studio Wacker, était devenu aux Etats-Unis un remarquable danseur classique. Le Cygne noir de Rosella Hightower a ébloui la salle. Elle apportait le message d'un monde nouveau, d'une audace physique inconnue, d'une force électrisante. Roland l'a applaudie, exalté, et après le spectacle, nous nous sommes précipités dans sa loge. Quel contraste entre la reine de la danse et cette petite jeune femme au visage maigre qui se tenait devant nous… Lorsque le lendemain je lui ai rendu visite dans un tout petit hôtel du Quartier latin, je trouvai son linge séchant sur une corde tendue au travers de sa chambre [1]. » Parmi les acclamations du public, ce soir-là, retentirent pour la première fois à Paris les sonores « Bravo » au « r » puissant du marquis de Cuevas saluant les prouesses de sa danseuse. Cette exclamation qui accompagne toutes les apparitions de Rosella Hightower et de maints autres danseurs ensuite deviendra célèbre. Le marquis manifeste toujours bruyamment son enthousiasme lorsque ce qu'il voit correspond à son idéal de la danse. Mais il n'est ni aveugle ni partial, il lui arrive aussi de siffler ses propres danseurs ou ses propres spectacles, s'ils ne répondent pas à son attente.

Lors de cette première soirée parisienne, l'incroyable marquis commence à créer son propre mythe. Est-ce de l'instinct ? Du calcul ? En tout cas, Paris commence à le découvrir tel qu'en lui-même. Le cérémonial des premières, restera immuable jusqu'à la fin. Pour lui, le début d'une saison, que ce soit à Paris, Cannes ou Deauville, ou encore à Biarritz, est toujours une fête. Il faut d'abord une salle aussi brillante que possible, mêlant grands aristocrates, altesses royales, gens du spectacle, milliardaires amis, hommes politiques. Ces derniers, à l'époque, apprécient plus qu'aujourd'hui de paraître en de telles occasions. Dans ces années

---

1. Lidova, *Ma vie avec la danse*, Ed. Plume, 1992.

d'immédiat après-guerre, on trouve légitime de prendre un peu de bon temps. Il faut aussi s'exposer à la une des magazines. Parmi ces invités incontournables Félix Valoussières est alors un témoin particulièrement qualifié : « *J'ai vu naturellement de nombreuses premières puisque cela fait quinze ans que je suis directeur du Théâtre des Champs-Élysées et les premières du marquis de Cuevas avaient un tel faste qu'on en parle encore dans Paris. On se déplaçait du monde entier, parce que le marquis de Cuevas avait énormément d'amis et aussi parce que ce qu'il faisait était tellement merveilleux que tout le monde avait le désir d'y assister* [1]. » C'était le relais indispensable de la popularité, à l'heure où la télévision n'était qu'embryonnaire et confidentielle. Elle recrutait à peine avec Jacqueline Joubert sa première speakerine, et Pierre Sabbagh concoctait le premier journal télévisé. Ainsi, à Paris, lors de l'ouverture de la saison Cuevas ou d'un de ses galas, y a-t-il toujours un représentant du président de la République. Cela justifie le déploiement des Gardes républicains en grand uniforme le long du tapis rouge menant à la salle et sur les escaliers. Comme aujourd'hui, lors du festival de Cannes ou de la remise des Oscars à Hollywood, la « montée des marches » est un véritable test de popularité pour le Tout-Paris. La foule se presse derrière les gardes et cherche à reconnaître les visages aperçus dans la presse ou aux actualités cinématographiques. La salle, le bord de la fosse d'orchestre, parfois l'avant-scène même, sont décorés de fleurs. Nul doute que s'il le pouvait, le marquis éclairerait le tout de quelques milliers de chandelles, comme jadis à la cour de Versailles, ou même à celles de Sceaux ou de Saint-Cloud ! Sur la liste des personnalités invitées à une première se côtoient Louis Jacquinot, Maurice Couve de Murville, Wil-

---

1. *In Art et Danse*, numéro spécial en hommage au Marquis de Cuevas.

fried Baumgartner, Maurice Herzog, le préfet Papon, S.A. la Bégum, L.A.R. Mohamed Ali Ibrahim, la princesse Faiza d'Egypte, la maharanée de Baroda, la princesse Sixte de Bourbon-Parme, les ambassadeurs de tous les pays d'Europe et de la plupart des pays d'Amérique du Sud, les hommes politiques comme Paul Reynaud, Pierre Mendès France, les stars les plus célèbres comme Vivien Leigh, Gregory Peck, Judy Garland, Louis Jourdan, Tino Rossi, et encore les Rothschild, Paul-Louis Weiller, Liane Daydé, Serge Lifar, Michel Renault, Colette Marchand. Même en province, la presse locale peut reconnaître dans les loges d'honneur un soir de gala « *M. le ministre et maire de Bordeaux Chaban-Delmas et madame, LL.MM. le roi Pierre et la reine Alexandra de Yougoslavie, S.A.R. la princesse Sixte de Bourbon-Parme, la baronne d'Erlanger, sir Duncan et Lady Orr Lewis, S. A. la princesse Andrée Aga Khan, M. Francis Poulenc, M. Alexandre Uninsky* », exemple typique du mélange des univers : politique, artistique, aristocratique. Pour tous ces invités, la tenue de soirée est de rigueur et les altesses royales en exil trouvent l'occasion d'exhiber les somptueux bijoux généralement emportés en hâte et en cachette à leur départ. Le marquis donne l'exemple, drapé dans une cape, à l'occasion violette doublée de vert et de rouge, comme pour ses adieux au moment de *La Belle au bois dormant*. Il porte toutes ses décorations, dont le nombre augmente au fil des années. Et c'est dans cette tenue d'apparat que, fidèle à sa spontanéité naturelle et son sens du contact humain, il embrasse en arrivant presque tous ceux qu'il croise. On l'a surnommé le « kissing marquis », le « marquis embrasseur », car il agit de même en arrivant au théâtre pour une répétition, un cours, ou simplement une rencontre avec ses danseurs. C'est sa manière à lui de montrer qu'il aime les autres.

Le « kissing marquis » arrive donc dans sa somptueuse limousine, une Chrysler ou une Bentley rutilante, et franchit le tapis rouge des mondanités sous les flashes, en distribuant baisers et paroles chaleureuses. Après le spectacle, et une sortie de salle tout aussi cérémonieuse que l'entrée, le Tout-Paris se retrouve dans quelque grand restaurant, voire chez le marquis lui-même, au 7 quai Voltaire. La foule de badauds qui s'est agglutinée en début de soirée pour voir arriver le beau monde attend plusieurs heures dehors pour le voir sortir et glaner au passage quelques échos du spectacle. Cela n'est plus le cas aujourd'hui à Paris que pour quelques pop stars guettées devant leur hôtel par une cohorte d'adolescents pré-pubères. A l'époque, il faut de la patience aux badauds : les spectacles sont longs en raison du grand nombre et de la durée des entractes, indispensables au repos des danseurs et aux changements de décors. Nous sommes loin de l'austérité des spectacles de Balanchine, en simples collants sur fond de cyclos ou de pendrions : ici, chaque ballet – il y en a jusqu'à cinq par soirée – a son propre décor. Mais surtout, les entractes renouent avec la tradition du théâtre comme lieu privilégié de rencontres et de vie sociale. C'est au « siècle des Lumières » que le théâtre est conçu comme la succursale des salons. On y vient pour se retrouver entre soi, dans les loges, et pour se montrer pendant les entractes, dans les foyers, dans les couloirs, sur les escaliers. Jusqu'au milieu du XXe siècle, ce modèle est reproduit partout dans le monde. Les entractes du marquis redonnent leur sens à cette architecture. Et tant pis si l'on reproche parfois à ses soirées de consacrer plus de temps aux entractes qu'au spectacle ! Nous ne sommes pas encore à l'époque où le plus grand chic est de coincer les spectateurs dans leur fauteuil pendant deux ou trois heures d'affilée. Le marquis de Cuevas fait partie de ceux qui, au XXe siècle, se sont efforcés de garder à une soirée de ballet cette notion de fête complète. On vient voir quelque chose de beau, présenté dans un contexte adéquat. L'apparat et l'échange social font partie du plaisir. En outre, il y a toujours à découvrir un nouveau ballet, un nouveau décorateur, de nouveaux danseurs. Quelle satisfaction de pouvoir se précipiter dans les couloirs, le rideau à peine tombé, et d'échanger ses impressions ! On retourne ensuite, tout échauffé de vibrants commentaires, vers de nouvelles découvertes. Cette excitation permanente fait partie intégrante du succès du Grand Ballet du Marquis de Cuevas et justifie aussi l'attente fébrile de tous les amateurs dès l'annonce de la saison suivante.

L'arrivée de la compagnie et du marquis sont toujours synonymes de surprises, y compris, hors du domaine purement artistique. Curieuse époque, décidément, que ce passage des années quarante aux années cinquante ! Drame et futilité s'y côtoient à la une des journaux et passionnent tout le monde. On applaudit aux amours d'Edith Piaf et de Marcel Cerdan autant que l'on pleure à la mort de ce dernier dans un accident d'avion au-dessus des Açores. On célèbre le mariage d'Ali Khan, le roi des play-boys, avec la belle Rita Hayworth, avant de pleurer sa mort en voiture au pont de Suresnes. La publication du *Deuxième sexe* de Simone de Beauvoir émeut autant que la victoire définitive de la Longue Marche de Mao en Chine, ou que le mariage de Martine Carol avec Steve Crane, à peine divorcé de Lana Turner. Le 3 août 1949, émoi général : les bijoux de la Bégum sont volés au Canet. Des gangsters masqués ont bloqué sa voiture et se sont fait remettre la cassette contenant un fabuleux trésor. L'affaire occupera longtemps les médias, tout comme le procès de Marie Besnard accusée d'avoir empoisonné treize personnes. L'Annapurna est vaincu, la guerre de Corée et celle d'Indochine s'enlisent, mais on parle autant de la guerre en dentelles entre Christian Dior et Jacques Fath. Pétain est mort. On pleure Louis Jouvet, on couronne *Un tramway nommé désir* à Cannes et Paris fait une fête à la princesse Margaret en visite le temps d'un bal caritatif : 1500 invités ont payé chacun 8 000 francs leur place, au bénéfice du Hertford British Hospital de Neuilly. Montand épouse Signoret et Bardot épouse Vadim. Le monde va son train. Les premières années du Grand Ballet du Marquis de Cuevas s'inscrivent donc dans la logique d'une actualité aussi riche que contradictoire. Grâce à son instinct miraculeux, le marquis parvient à y occuper une place importante : guerres et assassinats exceptés, son univers est en grande partie le reflet de l'époque.

2.

La cour du quai Voltaire

Voilà donc le marquis à l'assaut de Paris, où il tiendra pendant treize ans une cour à la mode du XVIIIe siècle, aussi ritualisée que celles de la duchesse de Berry ou de Mme du Deffand. Il loge d'abord à l'hôtel Meurice, puis dans une petite maison du XVIe arrondissement et enfin quai Voltaire. Très ami de Cécile Sorel devenue dévote tertiaire de Saint François, occasion pour elle de porter un somptueux costume para-monastique, le marquis achète son magnifique appartement au numéro 7 du quai. Outre une très belle propriété à Saint-Germain-en-Laye où leur fille est née, les Cuevas possèdent déjà à Paris l'immeuble du Square du Palais-Royal où habite Colette. Ils le vendront pour financer la compagnie. Alors que Saint-Germain-en-Laye est plutôt un refuge familial et privé, le quai Voltaire devient très vite un centre de la vie mondaine et de celle de la compagnie. L'appartement est vaste, donnant à la fois sur le quai et sur une cour à l'arrière. Meubles XVIIIe, tableaux de maîtres, grands miroirs et candélabres, le décor est royal, au moins dans les pièces de réception. Si elles impressionnent par leur taille et leur luxe, elles contrastent avec la petite chambre du marquis. Il y reçoit dans son lit, comme au Grand Siècle, entouré de sa horde d'une dizaine de pékinois blancs qui ne le quittent jamais. Un jour, il demande à André Levasseur, alors à Londres, de lui en rapporter un tout noir. Levasseur tente d'esquiver cette corvée mais se voit obligé de récupérer le précieux animal qu'on lui remet à l'aéroport lors de son embarquement. Le voyage se passe plutôt bien, mais au moment de rencontrer ses congénères blancs, ceux-ci se regroupent tous d'un même côté du lit du marquis et, dans un réflexe raciste, refusent absolument de frayer avec cet intrus qui n'est pas de leur couleur ! Pour s'occuper de ses chiens et les promener, le marquis a engagé un jeune homme du nom de Georges Lamiot qui devient vite son confident et son homme de confiance. Il l'a surnommé Orphée et celui-ci devient le «barrage » des intrus : « *Je ne sais pas grand-chose sur moi-même*, disait le marquis. *D'ailleurs je n'ai aucune mémoire. Si je n'avais pas constamment quelqu'un près de moi pour me rappeler ce que je dois faire et où je dois aller, j'oublierais tout. Dans ma famille, on appelle cette personne Orphée, c'est lui qui me rappelle tout, qui répond au téléphone, qui prend mes rendez-vous. Quand il n'est pas là, je n'ai personne pour me faire marcher…* » Orphée acquiert une si grosse influence que l'on intrigue auprès de lui pour obtenir un rôle, un ballet, une interview. Et il abuse de cette position privilégiée. Il traite parfois à la légère les personnages les plus importants qui téléphonent et refuse de leur passer le marquis sans le moindre prétexte : « *C'est encore cette raseuse de duchesse de… Je ne vous la passe pas !* » En mai 1957, le marquis le disgracie brutalement et va jusqu'à lui interdire tout contact avec la compagnie. Une note de service du 18 mai annonce son exclusion du ballet et proclame l'interdiction de l'accueillir sous peine de non-renouvellement de contrat. Orphée ne devait jamais très bien se remettre de cette disgrâce. Il essaya de monter une petite compagnie, sans succès. Il finit assez tristement, non sans avoir eu le très généreux geste de faire un don de peau à Janine Charrat lorsque celle-ci faillit périr brûlée.

Mais pour l'heure, Orphée détient les clefs des portes. Parvenir jusqu'au marquis est en soi un spectacle, une épreuve, un parcours initiatique. Claude Giraud raconte : « *Le Tout-Paris ou presque se souvient de la chambre, qui en réalité était une chambre de service, dans laquelle il se réfugiait pour être tranquille, disait-il. Cette chambre se trouvait dans le fond de l'appartement. Elle donnait sur la cour de l'immeuble du 7 quai Voltaire, elle n'avait presque pas de lumière. Elle avait un petit salon attenant, salon qui était rempli de tous ses souvenirs et dans lequel on ne pouvait même pas pénétrer tellement il y avait d'affaires. C'est où il voulait être tranquille et où se trouvaient tous les jours, entre six heures et huit heures ou huit heures et demie, environ une quinzaine de personnes. Il y avait la place pour le lit, deux tables de nuit remplies de papier et trois ou quatre chaises. Selon les cas tout le monde s'asseyait sur le lit, sur les chaises ou éventuellement par terre. On y rencontrait la princesse Bibesco, la princesse Sixte de Bourbon-Parme, la princesse Narichkine, des ambassadeurs, et au milieu de tous ces gens, des danseurs, les uns venus demander des rôles, les autres venaient dire qu'ils dansaient trop, ou pas assez, ou que leurs costumes devaient être refaits.* »

La princesse Bibesco fut toujours parmi ses plus proches amies. Il lui commanda même un ballet, *L'Aigrette*, qui n'a pas laissé de souvenir immortel mais qui leur procura à tous deux un grand plaisir. D'où lui était venue l'inspiration ? : « *Du ciel, comme toute inspiration. Et puis j'ai vu l'ange blanc, comme les pêcheurs l'appellent dans les marais du Danube et dans le delta du Nil. Et puis j'ai eu le bonheur de rencontrer un magicien, le marquis de Cuevas, un grand magicien, qui anime, qui donne la vie, sa vie, son cœur, sa santé, le sang de ses veines, comme il dit, à tout ce qui l'émeut dans une histoire que la danse seule est en mesure d'exprimer.* » Et le marquis avait choisi *L'Aigrette* « *pour plusieurs raisons. Le livret de ce grand poète qu'est la princesse Bibesco me plaisait beaucoup. Elle avait développé cet argument avec une délicatesse, une élégance extraordinaires. J'aime énormément la musique du prince George Chavchavadze, et j'ai cru avoir fait plaisir au public en général en développant un ballet que moi je trouve beau et intéressant* [1] ». Outre sa fidélité amicale et son assiduité, la princesse est aussi l'une des personnalités parisiennes les plus aptes à créer autour des premières du marquis l'agitation mondaine dont l'éclat plaît tant aux médias.

Le marquis fascine indéniablement, avec ce physique fin animé d'une expression toujours vivante et changeante qu'évoque le peintre Vidal-Quadras (qui a fait plusieurs portraits de lui) : « *Le marquis de Cuevas avait quelque chose de très frappant dans son physique et dans son caractère. Son visage était dans un sens très statique puisqu'il ressemblait à une médaille ancienne, à un marbre romain, mais ce visage impassible était soudain éclairé par des expressions, des grimaces, j'oserais dire, d'une puissance expressive inouïe. C'était un modèle qui présentait beaucoup de difficultés et en même temps qui était passionnant à peindre. C'est pour cela que je ne me suis pas contenté de faire deux portraits, mais j'ai fait de lui des tas de caricatures où je pouvais un peu charger toutes ces expressions qui amusaient en lui. Il y avait un mélange de force et de faiblesse, de générosité et d'égoïsme, c'était vraiment un grand personnage, avec ce que cela comporte de qualités énormes et le revers de la médaille, les défauts subséquents* [2]. »

Dès le début, le marquis est entouré de collaborateurs dont l'intelligente efficacité compense son manque de sens

1. *Le Marquis de Cuevas et ses ballets*, disque coll. Hommes et faits du xxᵉ siècle, S.E.R.P.
2. *Ibid.*

des affaires. En arrivant à Monte-Carlo, il a rencontré Claude Giraud, jeune impresario de la compagnie et qui le restera jusqu'à la fin. Il n'a pas vingt ans lorsque, en 1942, appartenant aux Forces Françaises de l'Intérieur, les FFI, il organise des passages de la ligne de démarcation, puis participe à la prise de Radio Paris à la Libération. Ce qui ne l'empêche pas de fonder en même temps sa propre société et de produire la plupart des spectacles de danse de l'époque. Il crée aussi les Soirées poétiques de la Salle Pleyel et, en 1945, les célèbres Vendredis de la danse du Théâtre Sarah-Bernhardt qui révéleront toute la jeune danse française. La même année, il devient administrateur général du Grand Ballet de Monte-Carlo dont il organise les tournées. C'est cette tâche d'impresario envoyant aux quatre coins du monde le Grand Ballet du Marquis de Cuevas qu'il assume à partir de 1947. Simultanément producteur de multiples spectacles, des concerts d'Edith Piaf aux ballets Peaux-Rouges Pow Wow, des Ballets brésiliens au Royal Ballet de Londres, de concerts de jazz, de compagnies folkloriques de tous pays, sa carrière continue après la fin de la compagnie Cuevas. Il fonde notamment le Grand Ballet Classique de France avec Liane Daydé, que rejoindront bientôt Rosella Hightower, Genia Melikova et Daphné Dale. Jusqu'en 1995, il sera le producteur exclusif de toutes les activités du Palm Beach de Cannes. Son pragmatisme, son imagination, sa puissance de travail en font l'un des acteurs fondamentaux du Grand Ballet et l'un des appuis les plus solides du marquis.

En 1953, une autre figure importante rejoint la compagnie : Marie ou « Mariuchka » de Freedericksz, jeune aristocrate russe divorcée, petite-fille du prince Tatichef ministre du tsar, mais émigrée et sans grandes ressources.

Elle a déjà travaillé pour Catherine Dunham qui n'a plus besoin d'elle à plein temps. Elle rencontre alors Raymond Larrain qui travaille déjà pour la compagnie et la présente au marquis, lequel cherche justement quelqu'un pour l'aider. Jolie, distinguée, intelligente, polyglotte, Marie de Freedericksz devient l'un des piliers de la compagnie aux côtés du marquis. Elle recueillera même ses dernières paroles, qui lui seront d'ailleurs adressées. Mais pour l'instant, elle n'en est qu'à un premier contact : « *J'arrive quai Voltaire, habillée de bleu marine, avec un petit col blanc, et m'ouvre la porte un jeune homme pas très grand, vêtu de noir avec un col roulé, en sandales. Je me présente. Il me dit de le suivre. J'ai su ensuite que c'était Orphée. Je passe la grande entrée et j'arrive dans un tout petit espace où se tient une dame très grosse, Melle Chenou. Elle a les cheveux blancs et elle parle avec le téléphone à l'envers. J'avoue être totalement surprise et ne pas du tout comprendre ce qu'elle fait. Je découvre qu'elle est sourde et a un énorme appareil auditif sur l'estomac ! Mais quelle drôle d'impression de voir quelqu'un qui parle avec le téléphone à l'envers ! J'emprunte un étroit corridor et j'arrive dans une petite chambre où se trouve un monsieur dans son lit. Le jeune homme qui m'introduit se jette à genoux devant le lit et s'exclame : "Monseigneur, voilà Madame de Freedericksz !" Sur quoi le marquis me dit : "Ah ! Chérie, c'est formidable que tu sois là. Tu vas me sauver. Tout le monde me vole, mon impresario, mon chorégraphe. Mes danseurs sont de mèche avec eux. Tu vas me sauver !"*

"Mais où vais-je travailler ?"

"Justement, je n'ai pas de bureau !" J'ignorais tout du marquis de Cuevas, de la marquise, du fait qu'elle était une Rockefeller. Je ne savais pas qu'il y avait beaucoup d'argent. Si je l'avais su, j'aurais cru qu'il se moquait de moi et trouvait le prétexte du bureau pour ne pas me prendre. "Si je trouve un bureau, est-ce que vous me prenez ?"

Le marquis de Cuevas

"Oui chérie ! bien sûr !" Malgré le côté étrange de cette rencontre, intriguée et séduite, je voulais ce travail. Je me suis mise immédiatement en quête dans le quartier des Champs-Elysées où j'avais travaillé un moment. Je devais récupérer des chaussures de Catherine Dunham chez un cordonnier rue Jean-Mermoz. J'y suis allée et je lui ai demandé si par hasard il ne connaissait pas un bureau à louer dans le coin. "Bien sûr madame, ils veulent louer au premier étage." Là, je suis tombée sur un couple homosexuel qui faisait tailleur pour Messieurs. Ils avaient un très grand appartement avec deux entrées. Ils louaient une belle pièce avec une porte indépendante. J'ai appelé le marquis que j'avais quitté une heure avant et je lui ai dit : "J'ai trouvé." Et c'est comme ça que tout a commencé. » Etre engagée ne signifiait pas pour autant avoir une tâche précise : « *Très vite, le marquis m'a présentée comme son administrateur. Il le dit sur la lettre qu'il m'avait chargée de porter à la préfecture de Paris pour arranger les problèmes de visa d'un danseur. Il dit : "Je vous envoie mon administrateur..." Ce terme me semblait très exagéré. Avant cela j'avais été secrétaire personnelle de Catherine Dunham. J'estimais que j'étais plutôt secrétaire personnelle. Mais il s'est trouvé que l'on m'a vite envoyée toute seule pour la saison de Londres, à la fin d'une saison à Paris qui avait eu lieu à l'Empire et où j'avais enfin vu les Ballets. Je n'avais pas eu d'autre initiation et j'ai dû régler de complexes problèmes de salaires et de change en travaillant nuit et jour. J'y ai peut-être gagné mes galons d'administrateur, sûrement la confiance du marquis !* » Bientôt, Marie de Freedericksz tiendra effectivement lieu d'administrateur et accompagnera les tournées aux quatre coins du monde. Cette jeune femme souriante et hyperactive étonne tous ceux qui l'entourent, danseurs, techniciens, administratifs, impresarios et agents, par la somme de travail qu'elle abat, son ingéniosité pour démêler les situations les plus

complexes et sa faculté à apparaître fraîche et élégante dans la salle ou au dîner après une journée harassante de voyages et de discussions. Elle sait aussi se tirer avec astuce des situations parfois embarrassantes dans lesquelles son charme et sa jeunesse l'entraînent, comme lors d'une tournée en Egypte : « *Le directeur de l'Opéra du Caire, un grand et fort personnage, me trouvait très à son goût. Un soir, nous étions en train de discuter. Je passe devant lui avec des documents et il m'attrape et m'assoit sur ses genoux devant les deux représentants de Fernand Lumbroso qui organisait la tournée. Je les vois tous les deux assez inquiets et indécis, se demandant ce qu'il faut faire sans contrarier le monsieur tout en me venant en aide ! Je m'en suis très bien débrouillée toute seule, car sur la photo qu'il m'a dédicacée à la fin de la tournée il a marqué « A Madame de Freedericksz qui sait garder toute sa tête et son charme » !*

Pour tout nouveau venu, un premier contact avec le marquis est une expérience surprenante. Voici celle de la grande ballerine Nina Vyroubova : « *J'ai fait la connaissance du marquis de manière très cocasse. Je venais d'être renvoyée de l'Opéra, sans trop savoir pourquoi. Le marquis de Cuevas était à l'affût de tous les bons danseurs disponibles pour les intégrer dans sa compagnie. Il a demandé à me voir. J'avais donc rendez-vous quai Voltaire. Le valet de chambre m'a fait entrer dans un salon superbe. Ensuite est arrivée la file des pékinois blancs, qui m'ont sauté dessus car ils avaient senti que je suis une dame à chien. L'un d'eux s'est carrément installé sur moi. J'ai fait causette avec lui. Et puis on est venu me chercher pour retrouver le marquis. Après avoir franchi plusieurs couloirs, je suis arrivée dans sa chambre où il recevait. J'avais toujours mon pékinois dans les bras. J'étais un peu gênée, mais je ne savais pas très bien quoi en faire, et il semblait ne pas vouloir me quitter. Le marquis s'est étonné de le voir dans mes bras : "Comment as-tu fait ? C'est le plus mauvais, le plus méchant, le plus teigneux de tous. Si c'est lui qui t'a choisie, il n'y a aucun problème. Tu peux danser avec nous."* C'était un homme très *affable, très courtois, d'une éducation parfaite qui manquait à beaucoup d'autres. Il n'avait qu'un petit défaut : il se jetait au cou de tous ses danseurs et danseuses. Ceux qui n'avaient pas vraiment envie qu'il les embrasse sur la bouche se cachaient dans les coins quand ils le voyaient ! Mais nous l'aimions beaucoup car nous savions qu'il nous adorait !* » Cette même année, d'ailleurs, le marquis engage avec la même rapidité, mais à New York, une autre grande étoile, en la personne de Nicolas Polajenko qui va remplacer George Skibine dans tous les premiers grands rôles du répertoire : « *J'ai eu un rendez-vous à New York avec le marquis. Nous avons pris le thé. Je parlais bien français à l'époque. Nous avions à peine échangé quelques paroles que je l'entendis demander : "Quand est-ce que tu signes ton contrat ?" J'étais abasourdi de cette rapidité, mais très heureux.* »

En 1955, l'écrivain Paul Guth réalise un grand entretien avec le marquis pour *Le Figaro Littéraire*. Le thème en est « *Si vous étiez dictateur aux fêtes, que feriez-vous de Paris ?* » Il décrit ainsi son premier contact avec le marquis : « *Quai Voltaire, j'attends dans le grand salon du marquis de Cuevas. Des boiseries du XVIIIᵉ siècle mêlent leur vert couleur de grotte sous-marine et leurs ors macérés dans le temps. Un parfum flotte dans l'air. D'où émane-t-il ? De ce bouquet géant de glaïeuls posé par terre ? De ces lys qui décorent le piano ? Ou est-ce l'arôme des siècles ? On m'a oublié ici. Je ne m'en plains pas. Un tintement de musique imperceptible retentit sans cesse. J'en cherche la cause et cette recherche pourrait m'occuper tout le jour. Est-ce l'enfant princier, portraituré dans ce tableau, qui s'anime soudain et gratte de ses petits ongles le globe doré de la monarchie ? Est-ce l'haleine de l'Amour, jouant avec Vénus sur un autre tableau, et lui mendiant, les mains jointes, une flèche ?… Je finis par trouver. C'est le lustre énorme qui soupire au passage des autos sur le quai. Sans arrêt, il pleure. Lui aussi est un être de musique.*

A travers des pièces immenses, aux volets clos, comme en Espagne pendant la canicule, et le long de couloirs infinis, on me conduit jusqu'à une petite chambre. Il est là, le divin marquis, le huitième marquis de Piedra Blanca de Guana de Cuevas, remontant en ligne directe et légitime au capitaine Don Juan de Cuevas de Bustillo y Teran, qui se distingua, avec le marquis Francisco de Pizarro, en 1538, lors de la conquête du Chili.

Il repose encore dans son lit aux draps d'azur. Son visage m'apparaît tout mince et rose d'insomnie. Mais plus doux que je ne l'aurais cru d'après ses photographies, où il caracole. Il a les beaux yeux d'huile dorée de l'Espagne, les hautes paupières rondes des portraits de Vélasquez, qui imitent la courbure du globe. Et, dans tout son feu et sa fatigue, une expression qui devient de plus en plus rare chez nos contemporains et qu'il est d'autant plus précieux de recueillir sur un visage : la bonté. Le téléphone sonne. Le marquis se redresse sur son oreiller pourpre. Suavement, il rétorque à l'ébonite : "Ze ne souis pas l'hôpital Laennec… Voilà vingt fois ce matin que ze le dis… Le prochain qui se trompera encore, il va recevoir le mot de Cambronne… "

Boubou, le pékinois royal, roule sa boule de neige sur le tapis. Eva, la petite chatte siamoise de trois mois, enfonce tendrement ses griffes dans ma cuisse. Le marquis secoue sa théière au-dessus de sa tasse et prend son petit déjeuner. C'est une scène d'intimité de grand seigneur, comme en aimaient les peintres du XVIIIe. J'ouvre la bouche. Le téléphone résonne. "Ah ! oui, quatre places pour la princesse !… Mais zoui… Mais zoui, certainement !… " Sonnerie et resonnerie : "Denise Bourdet ?… Ecoute, mon ange !… Je vais faire oun investigation !… Tu as deux, oui, tu as deux places… Attends oun peu que je mar-

que !…" J'assiste à la préparation de Roméo et Juliette, opéra-ballet de Berlioz que le marquis monte ces soirs-ci dans la cour carrée du Louvre. Deux colosses viennent parler technique. "Je n'ai pas oun centime ! gémit le marquis. Je vis dans oun état atrrroce de privation pour maintenir. Je reste au lit parce que je ne peux pas me payer oun taxi. Ma compagnie de ballets, elle coûte deux millions de francs par semaine. Je les ai arrêtés quatre semaines pour préparer Roméo et Jouliett. Mais je dois les payer. Quatre-vingts personnes qui dépendent de moi !… Le zour où je m'arrête, quatre-vingts familles qui meurent de faim !". »

Pierre Daguerre a également rencontré le marquis dans cette fameuse chambre [1] : « *Le marquis… est dans son lit. Il est, ce matin, un peu fatigué par son accablante entreprise. Sur ses genoux, se trouve déployée la page du journal* Opéra *concernant ses ballets. Il y a là l'excellent article de la princesse Bibesco, encadré des photos de Rosella Hightower, de Marjorie Tallchief, de George Skibine, de Serge Golovine, de George Zoritch, de Jocelyne Volmar. Un amoncellement de coquilles brisées d'arachides, que le marquis mange en puisant dans une poche de papier, cache à demi les photos du journal, le plumage et les costumes des danseurs.*

La chambre est toute petite, le marquis si mince dans son vaste lit, avec des yeux que la pensée anime ! Derrière lui, tendue sur le mur, une précieuse soie bleue, brodée de couronnes d'or, constitue la seule richesse de cette chambre avec, sur une cheminée, un rarissime calvaire en porcelaine coloriée trouvé au Portugal. La fenêtre donne sur une cour où sont alignées quelques autos, celles des voisins, voire des amis du marquis venus lui rendre visite. »

Parmi ceux-ci, certainement, la grande Cécile Sorel qui avait occupé l'appartement. Ils ont une relation intime et

---

1. Pierre Daguerre, *Marquis de Cuevas*, Denoël, 1954.

néanmoins empreinte de cérémonial. Jacques Raillard [1] rapporte la belle anecdote suivante : « *Nous habitions encore Mériel lorsque, un jour, le marquis annonça sa visite. Comme d'habitude, une voiture croulant sous les victuailles le précédait, chargée de saumon, de caviar, de langoustes, de fruits exotiques, de champagne, etc. Il y avait de quoi soutenir un siège d'un mois ! Deux ou trois minutes après l'arrivée du fourgon de marchandises, l'auto du marquis stoppait à son tour devant la grille. Nous étions au fond du jardin, Cécile et moi, et c'est alors qu'un point d'étiquette de la plus haute importance se présenta. M. de Cuevas avait été renversé peu de temps avant par une voiture. Il avait eu la jambe cassée et il portait encore son plâtre. En le voyant de loin descendre de voiture soutenu par son chauffeur, Cécile me dit : "Qu'est-ce que je fais ? Je suis une femme, donc normalement je dois rester assise et laisser George venir vers moi sans bouger d'un pouce. Mais d'autre part, il est blessé… Alors, que dois-je faire ? Aller à sa rencontre ou non ?" Quelques secondes s'écoulèrent tandis que nous réfléchissions tous deux à cet angoissant dilemme. "A votre place, dis-je enfin à Cécile, je ferais la moitié du chemin. L'amitié y trouvera son compte, le protocole aussi." La jonction eut lieu exactement au milieu de l'allée. Cécile et George se jetèrent dans les bras l'un de l'autre en poussant des cris de ravissement. Puis, sans attendre davantage, M. de Cuevas entreprit de conter à Sorel son accident : "Figure-toi, ma Cécile, mon amour, qu'après avoir été renversé, j'étais resté sur la chaussée et je criais aux agents qui voulaient me ramener chez moi : Non, non, pas chez moi. Je veux aller au Père-Lachaise… Entendez-vous ? Au Père-Lachaise ! Ma chérie ! Imagines-tu ça ? C'est la clinique Lachaise que je voulais dire. Pas le Père-Lachaise, le cimetière ! Les pauvres agents. Ils se demandaient si j'étais devenu subite-*

---

1. Jacques Raillard, *Mes dix années auprès de Cécile Sorel*, Ed. Emile-Paul.

ment fou, ils pensaient que l'accident m'avait troublé les idées !" » Force de l'affection, tout vécu à l'extrême, c'est aussi vrai de l'un que de l'autre. La familiarité n'exclut jamais un certain protocole avec le « kissing marquis » – c'est l'une de ses contradictions – mais le tout cohabite dans un climat de vraie et profonde tendresse, comme en témoigne le texte de ce bref billet que cite encore Jacques Raillard et que Cécile Sorel garda toujours avec elle après la mort du marquis : « *Chérie, notre soleil, tu m'encourages toujours. Merci. Quel est ton programme aujourd'hui ? Je n'ai plus de papier pour écrire. Je suis en plein travail avec mes collaborateurs. Dis-moi si tu déjeunes ? T'embrasse. Ton vieux George.* »

Le marquis aime Cécile qu'il trouve sublime dans « *une robe vert Véronèse garnie d'un bouquet de trois roses pâles qui rivalisaient avec la carnation nacrée de son décolleté de déesse* » et il déclare : « *Je dois beaucoup à cette femme. Chez elle, j'ai connu toutes les célébrités du siècle. J'admirais sa largesse, son esprit et sa générosité. Pour faire plaisir à un ami, elle était capable de dépenser une fortune dans une fête... La chère femme, je crois que maintenant elle est devenue mystique, je crois bien qu'elle l'était déjà à cette époque lointaine, mais elle n'avait pas eu le temps de s'en apercevoir.* »

Le 12 juin 1952, le marquis est décoré de la Légion d'honneur par André Cornu, secrétaire d'Etat aux Beaux-Arts. La cérémonie a lieu chez lui et la liste des principaux invités est à peu près celle des habitués du quai Voltaire. Il y a notamment S.A.R. la princesse Sixte de Bourbon-Parme, Son Excellence M. Quinones de Léon, la princesse Guy de Faucigny-Lucinge, Mme la duchesse de la Rochefoucauld, la comtesse Ghislain de Maigret, la comtesse de Revilla Camargo, Cécile Sorel, la comtesse Lili de Ségur, Mme Marguerite Yourcenar, M. Philippe Erlanger, chef de la Propagande artistique nationale. Le marquis répond très élégamment au ministre qui vient de le décorer : « *Je ne crois pas avoir mérité cette distinction. Je me sens gêné comme un voleur qui prend ce à quoi il n'a pas droit. Tout le mérite revient à la marquise qui m'a aidé dans toutes mes activités et qui, animée par l'esprit altruiste de son grand-père, J.D. Rockefeller, n'a jamais refusé de collaborer avec moi et de me guider dans mes entreprises. C'est à elle que je dois d'avoir pu réussir à former des artistes et de les avoir aidés à triompher dans toutes les capitales où ils se sont fait applaudir très frénétiquement.*

Je ne mérite pas de louanges ni d'honneurs, mais je les accepte parce qu'il n'y a rien qui fasse tant plaisir à un être humain comme d'être honoré par ceux qu'il aime. Cicéron l'avait dit deux mille ans avant nous : "Notre patrie est là où nos sentiments nous attachent." Eh bien, Excellence, comme ma seconde patrie, j'aime la France. »

Le marquis ne reçoit pas seulement dans sa ruelle. Il sait, comme on le voit, donner aussi de grandes réceptions. Peuvent s'y côtoyer alors artistes connus et inconnus, étoiles, ministres et telle dactylo qui lui avait rendu service en tapant un texte de dernière minute. Il embrasse tout le monde avec la même gentillesse et le même enthousiasme. Mais il dévoile toute sa personnalité dans les anachroniques fins d'après-midi de sa chambre : on le trouve là parlant aussi bien avec un ministre ou un ambassadeur que repassant lui-même ses pantalons ou ses chemises, « *pour faire des économies pour mes ballets* ». Cette magnifique manière d'allier sans cesse le somptueux à une prétendue misère l'a poussé, dit-on, jusqu'à se faire confectionner des chemises usées, qu'il porte lorsque se présente un créancier trop pressant ! Ce fabuleux homme de théâtre sait à la fois faire et être le spectacle…

S'il aime tant Paris, c'est d'ailleurs que la ville est pour lui un théâtre. Il l'exprime clairement dans l'entretien réalisé par Paul Guth : « *A Paris, oh ! on pourrait y faire tant de choses !… Des bals publics, où il y aurait une enceinte pour les gens qui ne peuvent pas se frôler avec tout le monde : grands personnages, femmes d'ambassadeurs… Mais autrement, il n'y aurait aucune différence. Il faudrait que toute la ville soit en liesse… Aux Tuileries, ce serait une merveille !… En prenant aussi tous les bords de Seine, avec des barques illuminées, et tous les arbres des rives. Et toutes les fenêtres du Louvre illuminées comme des diamants… Je donnerais de beaux feux d'artifice comme au dix-huitième siècle. Au Bois de Boulogne. Ils se reflèteraient dans le lac. Ils représenteraient des architectures sublimes, le palais des fées, le séjour des Chérubins… On peut imiter le Paradis. On peut tout faire avec la flamme… Je verrais un cortège floral sur la Seine. Les bateaux éclairés. Tout le peuple sur les rives. Et donner une fête gratuite pour que tous ceux qui peuvent marcher y participent. La Seine est amoureuse de Paris. Elle aime se parer pour lui plaire… Notre-Dame, qui a l'air de porter, vue de derrière, une immense crinoline… Je voudrais parer ses tours de couronnes. Des milliers de bougies qui feraient apparaître son âme étincelante… A Montmartre, la place du Tertre, c'est déjà un vrai décor de théâtre. C'est tout fait, n'est-ce pas ? Illuminer le Sacré-Cœur pour le voir d'en bas, c'est déjà une fête… La place Vendôme, c'est un immense salon. J'y ferais un bal gigantesque, tous les balcons éclairés, illumi-nés… Evidemment, la colonne, au milieu, gênerait. On ne ferait pas un jardin autour d'elle. Rien que des planchers. A chaque coin de la place un orchestre… et autour de la place des buffets merveilleux, des tapisseries rouge et or à chaque balcon. Et toutes les façades ornées du même motif. La répétition crée la grandeur… Sur les Grands Boulevards, je vois une foire énorme, avec des baraques. Et bien entendu, des illumina-tions… ce Palais-Royal qui dort, il faut le réveiller. Evidem-ment, on est gêné par les jardins au centre. Mais on pourrait y faire tout de même de grands soupers, évoquer le temps des*

Incroyables et celui où Joséphine était Mme de Beauharnais…
le parc Monceau est venu très tard dans Paris. On pourrait y
faire revivre le Second Empire, comme dans le tableau de
Winterhalter représentant l'impératrice Eugénie et ses dames
d'honneur. En souvenir de l'impératrice Eugénie, j'organiserais
une fête franco-espagnole. Le Barbier de Séville, Carmen… »
et enfin « une fête qui embraserait tous les Champs-Elysées de la
place de la Concorde à l'Etoile, une fête où il y aurait de la place
pour toute la France. On déploierait des illuminations comme
des sautoirs de diamants. A cette grande courtisane qu'est Paris,
il faut des diamants. Sa couronne est l'Arc de Triomphe. Sa
poitrine est la place de la Concorde. Et puis, une chose qu'on n'a
jamais faite et que ça serait sublime ! La nuit, dessiner l'archi-
tecture de tous les monuments de Paris avec des guirlandes de
petites lumières qui suivraient toutes leurs lignes. Ils auraient
l'air de palais de lumière, de pavillons de rêve ».

Ces visions qui semblent délirantes à la fin des années
cinquante se sont parfois concrétisées depuis, à l'occasion de
diverses célébrations, qu'il s'agisse des fêtes de la musique du
21 juin, du 14 juillet 1989 animé par Jean-Paul Goude, des
animations pour l'avènement du troisième millénaire. Mais
aucune n'atteint le degré de magie et de poésie imaginé par le
marquis s'il avait été « Dictateur aux fêtes » de la capitale.

Vers la fin de sa vie, il semble avoir davantage apprécié
sa villa de Cannes, *Les Délices*, où il se repose de l'agitation
parisienne. Cette villa, luxueuse, est aussi le lieu de mondanités raffinées lors des saisons de la compagnie à Cannes.
« *Tout ici incite au dolce farniente*, dit-il. *Cannes est une ville*
merveilleuse où il y a juste assez de soleil pour qu'une léthargie
agréable puisse vous envelopper, faisant renaître en chacun un
sens de la beauté qui exacerbe le désir de vivre. » C'est là qu'il
devait mourir.

A partir de l'historique 17 novembre 1947, Paris prend l'habitude d'accueillir chaque année le Grand Ballet du Marquis de Cuevas. Les spectacles remportent un succès considérable bien que la critique spécialisée fasse souvent la fine bouche. Les créations se succèdent à un rythme inédit. Bien peu resteront comme des œuvres de répertoire reprises ensuite par d'autres compagnies. En revanche, les plus grandes étoiles figurent à l'affiche : l'aventure Cuevas est d'abord celle des danseurs. Le marquis cherche à s'emparer de toute personnalité disponible, surtout si elle sort de l'Opéra. Il tente, en vain, d'engager Josette Amiel toute jeune, au moment où son talent allait la révéler comme première Odette-Odile de l'Opéra de Paris. Il réussit avec d'autres, comme Jacqueline Moreau, Denise Bourgeois, et plus tard Nina Vyroubova et Liane Daydé. Très belle représentante de l'école française la plus pure, Jacqueline Moreau, élève de Zambelli et de Volinine, première danseuse à l'Opéra qu'elle quitte en 1951 pour entrer chez Cuevas, danse tout le répertoire avec succès. Elle s'illustre en particulier dans la création de *Diagramme* de Janine Charrat et de *L'Amour et son destin* de Serge Lifar. Denise Bourgeois, elle aussi très fine, très élégante, première danseuse à l'Opéra, entre dans la compagnie en 1952. Au tout début, on voit passer de grandes stars internationales comme Tamara Toumanova, qui danse aussi à l'Opéra de Paris. Enfant prodige, ballerine d'une grande beauté, célèbre pour l'influence que sa mère a sur elle, Toumanova rappelle au public les élans romantiques de Pavlova. Autre joyau international, Alicia Markova fait aussi un temps les beaux soirs de la compagnie dans le même répertoire. Etoile à Rio, la belle Brésilienne Béatrice Consuelo, arrivée toute jeune, se fait un nom international en acceptant de gravir à nouveau tous les échelons pour devenir soliste au sein de la compagnie. Son parcours exemplaire confirme ces propos tenus par Georges Hirsch, administrateur de l'Opéra, sur l'esprit que le marquis faisait régner dans la compagnie : « *Il donnait une âme à son ballet et son ballet n'avait absolument rien de commun avec une assemblée de fonctionnaires. Il y avait là des danseurs qui savaient que le firmament des étoiles leur était accessible à condition qu'ils soient doués par la nature et qu'ils ne négligent pas le travail. Chaque danseur pouvait devenir étoile, un peu comme le soldat de Napoléon qui avait un bâton de maréchal dans sa giberne.* » Ethery Pagava, élève de Mme Egorova, avait débuté à quatorze ans dans *Les forains* de Roland Petit en 1945. Entrée chez Cuevas en 1947, elle est partout l'une des préférées de la critique, même lors de la décevante tournée en Amérique. Son interprétation de *La Somnambule*, en particulier, recueille tous les éloges. Olga Adabache, d'origine russe, est une splendide *Salomé* dans le ballet réglé pour elle par Serge Lifar, avant d'immortaliser la fée Carabosse de *La Belle au bois dormant*. Genia Melikova, présente dans tous les grands ballets, est aussi l'une des préférées du public parisien. Née à Marseille de parents russes, élève de Julia Sedova puis, à Paris, d'Egorova, de Gsovsky et de Serge Peretti, elle a débuté au Nouveaux Ballets Russes de Monte-Carlo, est passée par la comédie musicale à New York avant d'être engagée en 1954 par le marquis. Elle fait aussi très vite partie des ballerines les plus adulées des Parisiens, débutant dans le *Premier concerto de Chopin* de Nijinska et incarnant pour finir une des inoubliables princesses Aurore de *La Belle au bois dormant*. Il y a aussi la pseudo-Espagnole Ana Ricarda, élève de la Argentina, avec ses bandeaux noirs, grande favorite de la marquise. Ses chorégraphies sont souvent discutées, comme *Del Amor y de la muerte*, *Dona Inès de Castro* ou *La Tertulia*. La liste est longue de celles qui, en plus des super stars de la première heure que furent Hightower et Tallchief, font rêver le public. Leurs moindres gestes et leurs moindres paroles sont rapportés par la presse avant, pendant et après le passage de la compagnie. Le « Star system » de Cuevas concerne aussi les hommes : Skibine et Eglevski d'abord, puis Golovine, fascinent les foules et les journalistes. Mais il y eut également le Russe Vassili Tupin, George Zoritch, d'une plastique exceptionnelle et qui plaisait tant au marquis. Quelques mauvais camarades disaient qu'en dansant il se regardait plus qu'il ne regardait sa partenaire. A partir de 1957, Skibine parti, c'est Nicolas Polajenko, aussi beau gosse que danseur virtuose, qui reprend tous les grands rôles masculins du répertoire. A seize ans, il avait débuté comme remplaçant dans la première compagnie du marquis à New York. D'abord partenaire de Natalia Klossovska, il devient celui de Rosella Hightower et y gagne vite ses galons de star internationale. Et puis, bien sûr, il y a Vladimir Skouratoff. Elève lui aussi de Preobrajenska et de Kniassef, après des débuts au cabaret, il était entré en 1946 aux Ballets de Monte-Carlo avec Lifar et s'était illustré dans les grandes créations qui s'y succédaient, notamment avec Jeanmaire et Chauviré. Très viril, doté d'un physique aussi romantique que contemporain, d'une superbe technique raffinée et puissante, il danse à l'Original Ballet Russe, aux Ballets des Champs-Elysées et aux Ballets de Paris avant de rejoindre la compagnie du marquis où il est notamment le créateur de *Pièges de lumière*. Il y chorégraphie aussi plusieurs ballets dont *Scarlatiana* en 1955 et *Perlimplinade* en 1957.

Tous ces artistes illustrent, au fil des années, l'idée bien précise que le marquis se fait de la danse : « *Je crois que toujours la danse renferme en elle-même quatre arts. La musique, la chorégraphie, la peinture et la littérature. Je pense que les ballets qui ont un argument ont plus d'intérêt que les ballets abstraits... La danse est le plus ancien des arts car David a dansé devant l'Arche. Le ballet classique évolue, comme toute chose vivante. Il y a des ballets qui restent démodés et qu'on n'a plus envie de voir. Il faut s'adapter à l'époque où l'on vit, mais toujours avec une technique très sévère, parce que la technique pour moi est au service de l'expression, et quand on n'a pas la technique parfaite, ce que les gens appellent acrobaties, les jaloux, les ignorants, c'est justement la base de la danse, pour pouvoir s'exprimer. Un violoniste, un pianiste qui n'a pas la technique parfaite ne peut pas donner l'expression juste. Un argument bien interprété intéresse beaucoup plus le public qu'un ballet abstrait où il ne voit que de la technique. Les décors sont très importants. Il faut au moins qu'ils soient honorables pour que ça ne devienne pas ridicule. Quand vous mettez des intestins d'éléphants enroulés en forme de nuage pour faire du modernisme, je trouve que c'est une bêtise. Je crois qu'une personnalité est indispensable car elle met en valeur la technique, l'expression, tout. Mais sans technique, une danseuse restera toujours médiocre. On l'admirera pour sa prestance, pour sa beauté, pour sa plastique, mais elle n'ira pas très loin* [1]. »

Le marquis sait pertinemment qu'il n'est rien sans ses danseurs. Ils sont indispensables à la concrétisation de ses rêves, même si la réalité reste imparfaite : « *Personnellement je ne suis pas arrivé à l'ombre de ce que j'ai imaginé et qui est mon idéal, mais je crois avoir réalisé quelque chose de grand au monde, au moins en lui donnant l'opportunité d'admirer mes filles, Rosella Hightower, Marjorie Tallchief qui est un autre de mes accomplissements parfaits. Ensuite se sont ajoutées Jacqueline Moreau, Denise Bourgeois, Ethery Pagava, qui était admirable de charme et de jeunesse. Il y a beaucoup de noms de cette génération qui vont rester dans l'avenir... La recherche d'un idéal fait des héros. Comme chaque danseur cherche à arriver à*

---

1. *In Le Marquis de Cuevas et ses ballets*, disque coll. Hommes et Faits du xxe siècle, S.E.R.P.

un idéal de perfection, ce sont tous des héros. C'est très dur d'avoir son corps comme instrument. Il faut donner la vie à ça. On n'est pas danseur comme n'importe quoi, comme n'importe qui. Il faut donner. Il faut prendre ça comme un apostolat. Tout vient après la vocation de se donner au public. Il n'y a pas un baiser d'amant qui puisse donner autant d'émotions qu'une salle en délire. On a deux mille amants en même temps. On est adoré par la foule. Je comprends ce qui leur arrive à eux. On vit de ça, de cet amour au public [1]. »

Avec l'irremplaçable Claude Giraud, et avec Marie de Freedericksz, assistante infatigable, Jean-Michel Damase, pianiste, chef d'orchestre, compositeur, homme à tout faire de la musique, si talentueux et inventif, Gustave Cloez et André Girard, Jean Laforge aussi, autres grands maîtres de la musique, Orphée puis Horacio Guerrico, c'est toute une micro société qui entoure le marquis. Voyageant ensemble à longueur d'années, partageant joies, peines, disputes et réconciliations, ceux qui appartiennent à la grande famille Cuevas mènent pendant quinze ans la belle vie de compagnie et de tournées. Famille chaleureuse, certes, mais dans laquelle il faut être adoubé. Sans doute suspects d'emblée parce qu'envoyés par les trusts américains pour veiller aux comptes du marquis, Benjamin Carlin et sa femme en font les frais. Mieux payé que les autres, Carlin est perçu comme un espion, un empêcheur de tourner en rond, voire une sorte de profiteur… Il sera rudement éjecté après peu d'années de service.

---

1. *Ibid.*

3.

Des tournées de fous

Au Grand Ballet du Marquis de Cuevas, la vie est aussi conviviale que fatigante. Le prestige des principales étoiles, la multiplication des créations, la personnalité du marquis, la célébrité et la popularité très vite acquises par la compagnie attirent irrésistiblement. Les tournées se multiplient, non sans risque parfois, et atteignent rapidement un nombre qu'aucune troupe actuelle ne pourrait assumer. Elles sont l'occasion de mille incidents étranges, cocasses ou tragiques, mais contribuent à cet « esprit de famille » qui prévaut jusqu'en 1962. Les dernières photos prises alors à Athènes après l'ultime spectacle et avant la dispersion des danseurs évoquent davantage un repas de noces qu'un dîner d'adieux.

A cette époque, les danseurs sont rarement établis avec femmes, enfants, appartement ou maison de campagne. Peu de couples travaillent dans la compagnie : danseurs, comme les Skibine, danseuse et décorateur comme Rosella Hightower et Jean Robier, danseuse et régisseur, comme Hélène Sadovska et Jacques Stephant, sont l'exception. Pour les autres, le vrai point d'ancrage, c'est la compagnie : « *C'était vraiment comme une famille*, confirme John Taras, deuxième époux de la belle Sadovska. *On passait du bon temps.* » Et le marquis savait d'emblée mettre en confiance, comme en témoigne Nicolas Polajenko : « *Au début de la saison, le marquis a donné une grande réception où il m'a invité. Il m'a présenté à tout le monde de manière très élogieuse. Je n'avais que vingt-six ou vingt-sept ans. Je découvrais un univers européen et parisien qui m'était totalement inconnu. J'étais émerveillé, flatté, très heureux, trouvant sa manière d'agir vraiment courtoise. Encourageante, aussi. J'étais naturellement prêt à faire n'importe quoi pour lui et pour la compagnie. Ainsi, lorsqu'il y eut l'épidémie de grippe asiatique en Europe, tous les garçons tombèrent malades. Nous étions à Madrid. Je fus le seul à y échapper et j'ai remplacé tout le monde jusqu'à épuisement. Il y avait matinée et soirée pendant le week-end. J'ai dansé dix premiers rôles en deux jours. Le seul problème que j'ai eu avec le marquis eut lieu juste après mon arrivée. Pendant que nous séjournions à Cannes, un danseur anglais a organisé à l'hôtel Martinez un petit spectacle autour de Picasso, en marge de la compagnie. Il m'a proposé d'y participer. Pour le jeune Américain que j'étais, quelle occasion fascinante ! L'impression d'accéder au cœur de la culture européenne et dans un lieu prestigieux ! J'ai accepté, mais à condition qu'il obtienne l'autorisation du marquis. Il m'a garanti qu'il s'en occuperait. J'aurais dû me méfier, car nous répétions en cachette et il ne fallait en parler à personne. Le spectacle a eu lieu. Picasso est venu. Je l'ai rencontré. On imagine aisément que subjugué, je ne pensais plus du tout à vérifier si l'autorisation de la compagnie était ou non accordée. Picasso nous a dit être content de ce que nous avions fait. Je suis donc resté sur mon petit nuage jusqu'au moment où j'ai reçu une lettre très sévère du marquis. Il n'était au courant de rien et, avec raison, m'accusait de l'avoir trahi. J'étais sûr d'être renvoyé. Avec sa gentillesse naturelle, il se contenta de cette admonestation écrite et ne prit aucune mesure contre moi.* »

La discipline est rigoureuse, surtout pendant les périodes où John Taras est maître de ballet. C'est lui qui donne à la compagnie l'unité de style qu'elle n'a pas au début. Bien des danseurs le trouvent sadique, mais tous, du simple corps de ballet aux plus grandes étoiles, le respectent et lui obéissent. Même dans les tournées les plus fatigantes, le cours quotidien est obligatoire. Toute absence vaut une amende, retenue sur le salaire. De plus, le nom du ou des coupables et la somme retenue sont affichés au tableau de service. Même Rosella Hightower y a droit : « *J'ai vu plusieurs fois son nom affiché*, se rappelle Hélène Sadovska. *J'étais stupéfaite car elle était non seulement la star de la compagnie, mais d'une conscience professionnelle exemplaire, toujours la première au cours et à toutes les répétitions.* » Très strict dans le travail, Taras préfère par exemple répéter sur bande plutôt qu'avec piano. Il n'admet pas que les danseurs adaptent le tempo de la musique à leur goût ou à leurs possibilités. Mais cette main de fer sait aussi se faire douce quand il le faut. S'il sent les artistes au bord des larmes ou de la révolte, il les fait rire. L'atmosphère se détend et le travail repart. Un jour, pendant une tournée au Portugal, Taras se dispute violemment avec le marquis. Nul ne sait ce qui s'est passé, mais Taras disparaît. La tournée continue sans lui. Rosella Hightower prend la relève, mais pas pour longtemps. Elle ne peut assumer tous les rôles à la fois, celui de prima ballerina et celui de maître de ballet. Alors Claude Giraud et Irène Lidova fomentent un complot : ils s'arrangent pour que le marquis et Taras se rencontrent, « par hasard », au cours d'un entracte. La réconciliation a lieu, mais la brouille a tout de même duré neuf mois…

Une fois entrés dans la compagnie et donc membres de la « famille », beaucoup de danseurs se demandent qui prend les décisions importantes. En théorie, c'est le marquis. Et l'on connaît son incapacité à dire non. Difficile cependant de l'atteindre sans se heurter au barrage d'Orphée ou plus tard de Guerrico. Il faut surtout savoir de qui émane vraiment l'idée d'une nouvelle création. De Rosella ? De Taras ? De la princesse Bibesco ? En tous cas, c'est la bataille pour « faire la première ». Ce soir-là, un danseur est sûr d'avoir le meilleur public et, surtout, la presse. Chez Cuevas, en général, l'esprit de famille empêche les conflits graves y compris au sujet de l'argent. Les finances sont parfois si basses que les danseurs ne sont pas payés dans les temps : « *Contrairement à la rumeur,* précise Jean-Michel Damase, *nous avons toujours été payés. Mais parfois avec du retard. Et alors, on employait une terminologie particulière. Si l'on vous devait par exemple l'équivalent de 2 500 euros, on vous en donnait 800 en disant : "C'est une avance !" Une élégante manière de désigner un acompte sur un retard !* »

Deauville et Cannes sont les deux lieux de villégiature annuelle où la compagnie se produit, et prépare ses prochaines créations. La famille Cuevas y est chez elle. A Deauville, par exemple, où une très grande villa accueille presque tous ceux qui le souhaitent : « *Il y avait toujours Rosella et son staff,* se rappelle Hélène Sadovska. *On faisait la cuisine dans la salle de bains. On vivait comme des romanichels. Ceux qui n'aimaient pas ça pouvaient louer des chambres de service dans les palaces.* » Cette promiscuité a parfois son revers. Les répétitions ont lieu dans un studio normalement fermé la nuit. Un soir, après la répétition, un couple de danseurs s'y réfugie, jugeant l'endroit idéal… Mais catastrophe ! Ils sont en plein action lorsque surgit Mme Nijinska en personne, venue réfléchir sur place à quelques modifications dans les ensembles du ballet qu'elle prépare. Panique totale des deux coupables, d'autant que la Nijinska n'est pas spontanément très cordiale ! Aussi surprise que les deux jeunes gens, la grande chorégraphe rajuste nerveusement comme d'habitude son appareil d'aide acoustique en s'exclamant : « *Oh !*

ça… ça… ça… pardon… cher ami… ça, à la maison ! » Et l'incident n'a pas d'autres retombées. Car dans l'ensemble, les danseurs s'entendent bien. Les emplois et les partenaires sont fixes, mais les distributions étant multiples chacun a ses chances de « percer » à un moment ou à un autre. Cela n'empêche pas, à l'occasion, des échanges caustiques. A Natalia Kossovska qui, avant de danser Giselle avec Nunez, lui demande de bien répéter « *parce qu'avec moi, Giselle, c'est complètement différent* », ce dernier lui rétorque : « *Pourquoi ? Vous ne mourez pas à la fin du premier acte ?* »

Pendant les répétitions de *Perséphone*, Rosella Higtower et son mari le décorateur Jean Robier vivent une aventure cocasse : le beau costume de Rosella, achevé, est présenté au marquis. Déception ! « *Mais on ne dirait pas du tout que tu viens d'échapper aux Enfers ! Tu as l'air de sortir d'une boutique parisienne*, s'exclame le marquis. *Il faudrait que ce soit un peu brûlé !* » « *Mon mari a décidé d'arranger lui-même les choses*, raconte Rosella. *Nous avons sorti le costume dehors et j'ai demandé une cigarette à l'un des garçons pour faire quelques traces de brûlure par-ci par-là. Je ne voulais pas abîmer ce costume qui me plaisait tant. Mais tout s'est embrasé d'un seul coup. Alors on l'a jeté par terre, arrosé, piétiné, pour sauver ce qui pouvait l'être. Un vrai désastre. Le lendemain, nous l'avons rapporté en tremblant au marquis, certains qu'il serait furieux. "Quelle merveille ! s'est-il exclamé. C'est absolument ça !" Je l'ai donc porté ainsi et tout le monde a cru que c'était une trouvaille de mon mari !* »

Une autre fois, le maître de ballet des débuts de la compagnie, le Russe Beriozoff, décide un jour de renouveler un peu le costume des garçons de *Giselle*. Il choisit de les coiffer de bérets, supposés accentuer le côté « champêtre » du ballet. Dès que les danseurs sont en possession de ce nouvel accessoire, mille idées leur viennent à l'esprit : chacun veut le porter à sa manière, qui comme Bourvil, qui à la para, qui comme Michèle Morgan... Quand Rosella descend sur le plateau, elle est prise du fou rire. Incapable de danser, elle exige que tous ces bérets disparaissent... « *Dommage*, regrette Hélène Sadovska, *car ça apportait une petite touche de créativité* ! »

A Cannes où la compagnie séjourne toujours à la fin de l'hiver, on répète beaucoup. Parfois même des ballets sans lendemain. Une année, le marquis se laisse convaincre d'accueillir une prétendue danseuse et chorégraphe indienne. Il lui confie la création d'un ballet en lui laissant carte blanche. De fabuleux costumes sont commandés à Karinska. Dès les premières répétitions, les danseurs sont très surpris : la dame semble tout ignorer de la manière de régler un ballet. Elle dit avoir inventé un système de notations. Il consiste en une série de petites cases dans lesquelles elle dessine des petits personnages avec des bâtons comme font les enfants. Elle explique ensuite aux danseurs qu'il « *faut d'abord faire comme ça et ensuite comme ça* », en changeant de case. « *Elle avait tout simplement oublié que la danse c'est le mouvement*, dit Hélène Sadovska, *et qu'on ne peut sauter d'une case dans l'autre comme dans un film de Charlie Chaplin.* » Cuevas, qui a vent de ce qui se trame, vient assister à la générale : le ballet n'est jamais donné.

Le marquis adore les fêtes. Sur la Côte d'Azur, c'est une tradition. La compagnie est généralement à Cannes au moment de Mardi Gras. Le marquis organise donc des dîners où, après le spectacle, les danseurs se rendent déguisés. Ils servent d'attraction aux milliardaires qui payent fort cher leur place à table pour terminer la soirée avec ceux qu'ils ont applaudis, le tout dans un mélange d'apparat et de canulars bon enfant dont le marquis a le secret.

Voici comment *Nice-Matin* relate l'un de ces galas, le 7 mars 1957 : « *Comme il se doit à Cannes, c'est en beauté et fort élégamment qu'on a mardi soir enterré Carnaval aux Ambassadeurs. Selon une généreuse tradition, M. François André avait invité le marquis de Cuevas et son Grand Ballet. A 22 heures, le salon doré ressemblait au foyer de l'Opéra. Coiffée d'une charmante toque de fleurs surmontée d'une printanière branche d'amandiers, Rosella Hightower fit la première son entrée et elle devait être fort applaudie ainsi que toutes les étoiles du ballet dont les noms étaient annoncés par M. Legat au fur et à mesure qu'elles pénétraient dans le célèbre restaurant. Enfin, précédé de porteurs de flambeaux, le marquis de Cuevas, que toute sa troupe accueillit debout, eut naturellement droit à une ovation particulière, avant de rejoindre sa table où nous notions la présence de la princesse Maria de Bourbon-Parme, de la princesse André Khan, de la princesse Sixte de Bourbon-Parme, du comte de Vallombreuse, de sir Duncan et de lady Orr Lewis, de sir Noël Charles, du baron Erlanger, etc. M. Georges Mockers, directeur artistique du théâtre qui avait réglé le ballet impromptu de l'entrée, présidait une table avec Rosella Hightower, Jacqueline Moreau, Serge Golovine, Nicolas Polajenko, Andréa Karlsen, Maria Ruanova, tandis que Mme de Freedericksz avait à ses côtés Wladimir Skouratoff, le maître de ballet Nicolas Beriozoff, Genia Melikova, George Govilov, George Zoritch, Krassovska. Sur les airs de l'orchestre Fernand Constantin, toutes ces étoiles et leurs camarades se regroupèrent bientôt sur la piste de danse, jusqu'à l'heure des attractions qui permirent d'applaudir le couple de danseurs Marianne et Koby, la trapéziste Maryse Begary, les acrobatiques danseuses jumelles Margit et Margot, et enfin les burlesques Dandy Bros.*

Ces derniers semblaient déclencher le signal de bonne humeur, déjà créé toutefois par la présence de ravissants travestis, de quelques faux crânes et faux nez. Tandis que M. Julien Duclos faisait distribuer boules et serpentins, une joyeuse bataille s'engageait de table à table, et au hasard des combats, nous avons reconnu le maître Jean-Gabriel Domergue et madame Domergue, le général Bernard et madame, Monsieur le sous-préfet de Grasse et madame Deleplanque, le docteur Bonhomme, vice-président du Conseil général, adjoint au maire de Cannes et madame. A la table de Madame Patenôtre, sir Bernard et Lady Docker, le major Mathews qui portait pour la circonstance d'opulents favoris, le peintre Bellini, et quantité d'autres personnalités qui se défendaient en attaquant, soit à table, soit sur la piste de danse où les serpentins s'enroulaient autour des épaules nues et des smokings. Ce fut assurément l'un des galas les plus réussis de la saison. »

Témoignages et photos sont là pour montrer que le marquis lui-même prend part à la fête avec un plaisir évident, dansant à l'occasion avec tel de ses danseurs déguisé en bonne femme de Dubout. Certaines entrées sont à thème. Celle consacrée au dessinateur humoristique est restée célèbre entre toutes. Le marquis aime aussi fêter les anniversaires : autre occasion de rire, de danser, de resserrer l'esprit de corps de la compagnie, et de montrer son affection pour « ses enfants ». Là encore, comme dans sa jeunesse, il se révèle le plus tonique des boute-en-train. Et c'est en organisant le bal de Chiberta qu'il réalisera totalement, en un seul soir, tous ses rêves de faste, de divertissement, de mondanité et de spectacle.

Parfois, pour les besoins de la publicité, les danseurs se trouvent entraînés dans des aventures surprenantes. Mais on accepte tout quand il faut défendre la compagnie. Comme cette séance de photo assez sauvage organisée par Claude Giraud, toujours à l'affût de promotion quand les finances de la compagnie sont frappées d'anémie. Hélène Sadovska raconte : « *Il avait eu l'idée de nous faire prendre en photo dans la cage aux tigres du Jardin d'acclimatation. Il n'y avait aucune raison de s'inquiéter, car il s'agissait des bébés tigres ! Nous*

1. Le marquis de Cuevas pose avec Lady Harvey, épouse de l'ambassadeur de Grande-Bretagne.

2. Le marquis de Cuevas et Serge Lifar s'affrontent sur le pré devant leurs témoins. A gauche Jean-Marie Le Pen, à droite Max Bozzoni.

1

1. Le marquis
et ses danseurs célèbrent
joyeusement un anniversaire.

2. Eddie Constantine
et Nicolas Polajenko
jouent Rosella Hightower
sur une table du casino
de Deauville !

2

3. Amoureux des arts,
le marquis, en gondole, salue
Venise et ses splendeurs.

3

2

4

3

5

1. A Deauville, le marquis,
sa plus proche
collaboratrice,
Marie de Freedericksz,
la chorégraphe Bronislava
Nijinska et Orphée.

2. Le marquis de Cuevas
accueille un spectateur
fidèle, l'Aga Kahn.

3. A Biarritz, Hubert Faure,
gendre du marquis,
Negro Sanchez-Cirès,
Pierre Balmain
et Guy d'Arcangues.

4. Claude Giraud,
l'impresario de la
compagnie du premier
au dernier jour.

5. Entre Serge Golovine
et Liane Daydé, les étoiles
de *La Belle au bois dormant*,
le marquis mourant fait ses
adieux au public du théâtre
des Champs-Elysées.

Athènes. 30 juin 1962. Dernière fête après la dissolution de la compagnie.
On reconnaît Marie de Freedericksz, Ghislaine Tesmar, Monique Chezeaud,
Solange Golovina, Yvette Chauviré, Nicolas Beriozoff et Doris son épouse.

Le marquis et la marquise,
née Margaret Strong-
Rockefeller, dans leur
appartement du 7 quai
Voltaire à Paris.

1

2

1. Serge Lifar
et les danseurs du ballet
de Monte-Carlo accueillent
le marquis de Cuevas.

2. Serge Lifar
et le marquis de Cuevas.

3. Une des rares incursions
du marquis de Cuevas
en répétition.
Avec Rosella Hightower
et Nicolas Polajenko.

3

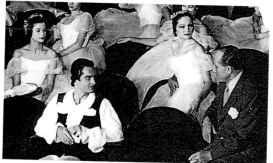

1. Le marquis
et George Zoritch
pendant la pause
d'une répétition
des *Sylphides*.

2. Les danseurs
de la compagnie
à Mougins.

1

2

3

1. Merle Oberon en Titania
salue le marquis au bal Chiberta.

2. Luis-Miguel Dominguin
fait son entrée en Casanova.

3. Bettina, mannequin vedette,
déguisée en princesse asiatique.

4. Guy d'Arcangues et Lita Sanchez-Cirès
(mère d'Inès de la Fressange), dans l'entrée
coloniale de Pierre Balmain.

4

trouvions cette initiative curieuse, mais plutôt amusante et certaines d'entre nous s'attendrissaient déjà à la perspective d'approcher ces adorables petits félins qui ressembleraient sûrement à des peluches. Nous entrons toutes allègrement dans la cage (où il n'y a que la structure pyramidale qui sert aux démonstrations acrobatiques des fauves). On nous enferme, les photographes restant à l'extérieur. Nous commençons quand même à sentir une vague angoisse nous gagner, enfermées toutes seules derrière les grilles. Soudain le couloir menant à la ménagerie s'ouvre et libère les tigres. Ils sont plusieurs, âgés de neuf mois, c'est-à-dire quasiment adultes. Panique totale. "Surtout, ne criez pas, nous dit la dompteuse qui est avec nous. Vous allez les effrayer et les rendre agressifs !" La seule photo réussie nous montre toutes, hurlantes, nous accrochant les unes aux autres pour grimper aussi haut que possible sur la pyramide métallique, avec Rosella, toujours très star, tout en haut. »

La qualité d'une compagnie de danse tient beaucoup à l'esprit de corps de ses membres. Il peut découler d'une tradition comme dans les grandes compagnies séculaires, Opéra de Paris, Scala de Milan, Mariinsky de Saint-Pétersbourg, Bolchoï de Moscou ou Ballet Royal Danois. En amont, certaines écoles maintiennent un style et un état d'esprit communs et forment des générations de danseurs habitués dès l'enfance à vivre et à travailler ensemble. Il peut aussi être le fait d'un grand chorégraphe, Balanchine, Martha Graham, Alvin Ailey, Paul Taylor, Pina Bausch, John Neumeier, Maurice Béjart, Roland Petit. Pour les autres, le ciment prend au fil des petits incidents du travail quotidien, de la vie de compagnie qui crée peu à peu ses traditions, et surtout lors des tournées. Les tournées ! Quelle occasion de se sentir encore plus solidaires en partageant non seulement le travail mais les mille émotions des voyages ! Rien de mieux pour donner une cohésion à soixante danseurs de quinze nationalités différentes. Face aux attaques de la presse, aux avaries des avions, aux tremblements de terre ou au imprésarios véreux, la famille des Cuevas se serre les coudes.

La compagnie tourne en permanence, partout où la danse est possible. La plupart des pays d'Extrême-Orient ne sont pas accessibles. La Chine est en révolution, l'Indochine en guerre, le Japon encore sous le traumatisme atomique. Le rideau de fer est difficile à franchir et les pays qu'il enferme n'ont guère les moyens d'inviter. L'Europe occidentale, en revanche, jusque dans ses villes de moyenne importance, le Moyen-Orient et l'Amérique sont traditionnellement des terres d'accueil pour les danseurs. Le Grand Ballet du Marquis de Cuevas doit les conquérir.

Au début, rien n'est facile. La compagnie est en pleine gestation, elle cherche son nouvel équilibre. La saison parisienne est un triomphe, mais il faut d'autres recettes. Par où attaquer l'Europe ? A Londres, le Sadler's Wells Ballet fondé par Ninette de Valois n'est pas encore le Royal Ballet. C'est la première grande compagnie britannique classique, traditionnelle. Le Ballet Rambert affiche des idées plus avancées, mais l'heure n'est pas encore aux grandes révolutions. Et puis Londres est un peu comme Paris, un lieu de passage obligé. Les troupes de Roland Petit, de Catherine Dunham, de Carmen Amaya se sont succédé au cours de la saison 1946-1947. C'est un paysage chorégraphique riche, varié, actif, dans lequel le marquis et sa toute jeune compagnie doivent avoir leur place. En août 1948, un an tout juste après sa première saison à Vichy, le Grand Ballet de Monte-Carlo du Marquis de Cuevas part à l'assaut du bastion anglais. Et pour frapper un grand coup, on ouvre au Royal Opera House. Plus astucieux, Roland Petit choisira l'année suivante un simple théâtre pour la création de *Carmen*. Pour le marquis, il faut une grande première. Le cadre de Covent

Garden s'y prête bien mieux que celui de l'Alhambra. Les altesses amies ont traversé la Manche. Sur place, on en trouve plus que nécessaire. Le programme est rodé – c'est quasiment celui de Paris –, le public est en fête. On croit la partie gagnée.

Mais dans la presse, c'est la Berezina. Aucune des faiblesses de la compagnie n'échappe à la critique : inégalité des chorégraphies, manque de travail d'ensemble. On est condescendant pour les solistes : « *La compagnie est essentiellement américaine avec quelques éléments français et russes. Son répertoire comprend des œuvres de nombreux chorégraphes. Son principal danseur est André Eglevski. Solidement bâti, c'est le plus léger de tous. Ses pieds semblent effleurer le sol. Il a la souplesse de la gent féline. Il est cependant assez limité artistiquement et il nous reste à le voir vraiment interpréter un rôle. L'étoile de la compagnie est l'Américaine Rosella Hightower. Il ne serait pas exagéré de dire qu'elle est la danseuse la plus naturellement douée que j'ai vue. Je veux dire par là que les difficultés techniques n'existent pas pour elle. Elle doit cependant acquérir style et finition. Il est évident qu'elle est capable d'exprimer bien plus que des feux d'artifice.* » Pour les ballets, le massacre est quasi général. *Sebastian* est « *sans originalité sauf quelques éclairs* » mais avec « *quelques belles opportunités pour Rosella Hightower et George Skibine* », dans des décors « *sans intérêt* ». *Constantia* apparaît « *sans intérêt spécial sauf le pas de deux pour Hightower et Eglevski* », le tout dans des décors et costumes « *bonbon fondant* ». *Le Cygne noir* est jugé comme un « *étourdissant numéro de virtuosité dénué de tout maniérisme et de toute vulgarité, mais aussi de tout charme* ». Si *Noir et blanc* ressort comme le chef-d'œuvre de la soirée, il est cependant « *mal servi par une compagnie pleine de défauts et très inférieure aux danseurs de l'Opéra de Paris* ». La divine Marjorie Tallchief est décrite comme « *ayant de la personna-*

lité et une force qu'elle transforme souvent en brutalité ». Seul George Skibine échappe au massacre.

Le moral des troupes est au plus bas, mais on espère que le second programme va inverser la tendance. Espoirs déçus. Entre l'interprétation de *Concerto Barocco* « *guère adéquate dans son ensemble* », Hightower qui est « *magnifique jusqu'à la taille mais ses bras et ses poignets ne sont jamais tendus à la russe et elle a le cou en avant* », *Five Gifts* qui est « *totalement incompréhensible* », la version en un acte du *Lac des cygnes* « *très médiocre avec de mauvais petits cygnes* » et Hightower qui « *danse sans expression* », la *Somnambule* « *comme la plupart des ballets de la compagnie du marquis de Cuevas mal répétée d'où l'impossibilité de rendre justice aux lignes balanchiniennes...* », c'est une exécution générale dont seuls sortent quasi indemnes Ethéry Pagava, George Skibine et André Eglevski.

La compagnie vacille, mais le marquis est trop intelligent pour ne pas tirer les leçons de cet échec critique. Il fait venir John Taras d'Amérique : la rigueur commence. Quand la compagnie revient à Londres l'année suivante, en juin 1949, elle commence à trouver sa cohésion, son rythme propre. La presse britannique s'adoucit, apprécie notamment la diversité de style des danseurs. Ethéry Pagava et George Skibine sont jugés les parfaits représentants du style russe, Rosella Hightower de l'américain. Tamara Toumanova a « *des feux d'artifice du Mariinsky et elle atteint des sommets dans Giselle* ». Et comme il faut bien une victime, c'est Eglevski, l'idole de 1948, qui n'est plus que « *l'Eglevski de 1933. Il entre en scène, exécute le petit répertoire de ses spécialités avec suavité, nous ravit le temps qu'on le regarde, et ne laisse derrière lui aucun souvenir de création* ». Marjorie Tallchief est devenue une « *forte personnalité qui a prouvé ce qu'elle pouvait faire bien dirigée, dans* Dessins pour cordes *de*

84

John Taras et dans Concerto Barocco. *C'est une danseuse très intéressante dont les progrès artistiques depuis l'année dernière sont extraordinaires ».* Rosella Hightower aussi « *a gagné en ligne depuis la dernière saison mais son travail est toujours aussi mécanique ».* Le corps de ballet est certes mieux accueilli depuis que John Taras le dirige, mais *Infanta* de Lichine est qualifié d'échec total tout comme *In memoriam* de Nijinska, créé pour le centenaire de la mort de Chopin. Le *Tristan fou*, avec les décors de Dali, malgré quelques bons moments dans la chorégraphie de Massine, n'est qu'un « *massacre de la musique de Wagner et aurait pu faire sensation dans les années vingt. Aujourd'hui, c'est tout simplement ennuyeux ».* Il faudra attendre la saison 1951-1952 et le passage au Cambridge Theatre de Londres pour que le Grand Ballet du Marquis de Cuevas trouve enfin grâce aux yeux de la presse britannique, toujours plus prompte à balayer devant la porte des autres que devant la sienne.

Ces critiques ont néanmoins l'intérêt de souligner à gros traits les faiblesses de la compagnie débutante : programmes mal conçus, parfois préparés à la hâte, danseurs aux styles trop divers. Mais John Taras est là pour y remédier. Les mêmes programmes et les mêmes danseurs sont chaleureusement accueillis en France et dans les autres pays où la compagnie se rend. Sauf aux Etats-Unis, où elle se produit avec bravoure en 1950.

Si le marquis est chilien et la compagnie, basée en France, très largement internationale, les capitaux qui la font vivre sont américains. Quelle est sa nationalité réelle ? Une ambassadrice de France dans un pays d'Amérique du Sud fut à cet égard victime d'une grosse erreur de jugement. Heureuse de voir arriver la compagnie, elle l'honora d'une grande réception à l'ambassade de France. Quand la note arriva au Quai d'Orsay, on lui fit remarquer qu'elle était libre de recevoir à titre privé une compagnie américaine, mais que cela ne concernait pas les frais de notre ministère des Affaires étrangères. Le Grand Ballet du Marquis de Cuevas est donc légalement américain. Et il a sûrement le tort de le revendiquer trop haut et trop fort en entamant une saison new-yorkaise aussi indispensable pour son prestige que pour ses finances. Toute la campagne de presse préalable est orchestrée sur ce thème.

La compagnie est en effet attendue en Amérique avec passion. Elle y est surtout perçue comme l'héritière de l'International Ballet fondé par les Cuevas en 1944. Son ascendance monégasque est oubliée : « *Encore auréolée de ses récents triomphes européens, la compagnie vraiment américaine, qui paradoxalement n'a jamais été vue en Amérique, célèbre son premier retour à la maison par un engagement de quatre semaines au Century Theatre. La visite du Grand Ballet du Marquis de Cuevas est donc un événement d'une signification inhabituelle pour les balletomanes new-yorkais. La compagnie est organisée selon les lois de l'Etat de New York. Elle est essentiellement américaine pour son personnel artistique dont la plupart sont citoyens américains ou d'adoption. Les deux étoiles Rosella Hightower et Marjorie Tallchief se vantent même de leurs origines indiennes. Ces quatre dernières années, de Cuevas et sa compagnie ont été les ambassadeurs de bonne volonté de l'Amérique et de sa culture, en Europe, en Amérique du Sud, en Afrique, au Proche-Orient et dans les îles Britanniques. Le marquis de Cuevas a été salué comme le Diaghilev d'aujourd'hui et comme Diaghilev lui-même, le créateur d'une institution vraiment internationale. Et pour cette raison, la compagnie est vraiment américaine, melting-pot des dons de multiples nations... »*

Il faut donc jouer la carte du nationalisme, si souvent gagnante aux Etats-Unis, car on ne peut envisager un échec.

Les administrateurs des trusts et de la fortune de la marquise n'approuvent que modérément de la voir dépenser tant à fonds perdus pour la danse. Un succès new-yorkais doit justifier son comportement en rehaussant le prestige de la danse américaine. Or, comme en 1948 à Londres, la compagnie tombe de haut. Presse et public font au Grand Ballet du Marquis de Cuevas l'une de ces réceptions glaciales dont l'Amérique a le secret. Côté public, la faute, dit-on, en revient en partie à la marquise. Intervenant, pour une fois, dans les affaires du ballet, elle a, typiquement, désorganisé et changé les programmes en dernière minute, selon ses caprices ou ceux de ses invités. Ceux qui souhaitent assister à un programme précis, ou se sont abonnés, sont outrés de ces volte-face qui les privent de ce qu'ils ont choisi ou les obligent à voir plusieurs fois les mêmes ballets tout en en manquant d'autres. Mais cet incident n'est pas la seule cause de leur déception. La danse américaine est alors en plein épanouissement, en avance sur la danse européenne et encore plus sur celle de la compagnie du marquis. Si Balanchine règne sur le classicisme, Graham, Cunningham galvanisent l'attention sur des formes nouvelles. Le public new-yorkais a aimé la *Carmen* de Roland Petit où il a perçu une vraie modernité. Il attend encore mieux et autre chose d'une troupe qui se dit américaine. Avec d'excellents danseurs, la compagnie de Cuevas est en progrès, mais en 1950, elle cherche encore sa personnalité. Le public ne s'y retrouve pas. Là encore, les pompes de la première ne font pas illusion : « *Il y avait une atmosphère de gala au Century Theatre hier soir, car le Grand Ballet du Marquis de Cuevas faisait ses débuts ici, dans la ville qu'il considère comme la sienne après quatre ans de voyage en Europe. Développement de l'aventure précédente du marquis appelée International Ballet, il contient un noyau de danseurs américains dans les premiers rôles et un corps de ballet largement international. A première vue, il est clair qu'il y a beaucoup de bons danseurs dans la compagnie dont deux ou trois extraordinaires.* » Mais passés les habituels éloges sur la virtuosité d'Hightower et de quelques autres, on remarque que « *le climat général du travail de la compagnie est froid et confus, les techniques non définies, le tempérament, placide...* », pour conclure sur une note tout de même plus optimiste : « *Il y a beaucoup de mauvais dans cette saison, mais on ne peut pas s'empêcher de penser que si les danseurs restent assez longtemps ensemble et sont bien entourés y compris dans le domaine artistique, c'est une compagnie en devenir.* »

Les danseurs vivent mal ces rendez-vous manqués. Mais la joie de danser, d'aller vers des publics toujours nouveaux, leur fait vite oublier ces déceptions. Car les tournées ne se réduisent pas à la lecture de la presse, bonne ou mauvaise. Elles sont pleines d'inattendu, avec parfois des couleurs d'épopée.

Au début des années cinquante, on voyage encore en Super Constellation pour les longs courriers, dans des avions moins sûrs ou par le train en Europe. Non sans danger, comme en témoigne l'accident qui coûte la vie à la jeune Harriet Toby le 3 mars 1952, à l'âge de vingt-deux ans. Née à New York, elle a travaillé à Paris, chez Volinine, avant de rentrer en Amérique juste avant la guerre pour parfaire sa technique et son style à la School of American Ballet. Elle a débuté en 1944 au Ziegfield Theatre avec Alicia Markova et Anton Dollin dans *The Seven Lively Arts*. Engagée ensuite aux Ballets Russes de Monte-Carlo, elle a rejoint les Ballets de Paris de Roland Petit en 1948 puis la compagnie du marquis de Cuevas en 1949. Elle en est tout de suite l'une des principales solistes, s'illustrant notamment dans *Les Biches, Del Amor y de la Muerte*, et le *Moulin enchanté* de

Lichine aux côtés de Serge Golovine. Jolie, solide technique-
ment, elle est l'un des grands espoirs de la danse internationale. Elle aurait pu échapper ce jour-là à la mort, mais,
comme l'ont souligné certains de ses camarades, « *elle avait
posé ses chaussons sur sa table !*» et ça porte malheur. La
compagnie quitte la Côte d'azur et doit danser le lendemain
à Bruxelles. Tout le monde prend le train, sauf Harriet. Elle
est assez fortunée, veut gagner au plus vite Paris, où elle
compte faire quelques emplettes : elle prend donc l'avion.
Elle n'est pas la seule. Jacques Stéphant, régisseur et mari de
la danseuse Hélène Sadovska, souhaite faire de même car il
doit être à Bruxelles avant la compagnie. En fin de journée,
les danseurs descendent du train en gare de Lyon. Sur le
quai, John Taras et Claude Giraud les attendent, un journal
du soir à la main : le Nice-Paris s'est écrasé peu après le
décollage, il n'y a aucun survivant. Stupeur et consternation.
Hélène Sadovska s'affole. Et son mari ? Nul ne sait quel vol
il a pris et on ne peut communiquer le nom des passagers du
crash car les corps sont impossibles à identifier. Après quelques heures d'angoisse, elle apprend que Jacques Stéphant
était sur un autre vol. Il est sain et sauf à Bruxelles. Mais tous
pensent à Harriet. Nuit blanche pour tout le monde, et dès
le matin suivant, il faut reprendre le train. A peine arrivés
dans la capitale belge, les danseurs doivent, malgré la fatigue
et l'émotion, représenter comme d'habitude le spectacle du
soir. Harriet Toby devait danser *Concerto Barocco*, le *Divertissement* de *La Belle au bois dormant*, et *Dessins pour les Six*.
Tous les danseurs sont consignés au théâtre. La danseuse
prévue pour remplacer Harriet répète tout l'après-midi. A
six heures du soir, elle tombe malade et déclare qu'elle ne
pourra danser. John Taras décide qu'Hélène Sadovska prendra la relève : « *J'avais regardé les répétitions et les ballets, mais
jamais dansé les rôles d'Harriet*, raconte-t-elle. *J'ai passé son*

costume un quart d'heure avant d'entrer en scène, j'ai répété hâtivement avec mon partenaire… et tout oublié à la seconde même. Sur scène, mon partenaire m'a guidée à voix basse et quand nous étions près des coulisses, c'était John Taras qui me soufflait les pas à exécuter. Mais le pire de tout était que le marquis avait voulu rendre publiquement hommage à Harriet. Avant le spectacle, on avait donc dressé une sorte de catafalque sur la scène et notre chef Gustave Cloez a dirigé une marche funèbre. Derrière le rideau, nous étions en larmes. Deux minutes plus tard, il fallut sauter et tourner joyeusement dans Concerto Barocco ! »

Sans être aussi tragiques, les voyages en avion pouvaient être mouvementés. Ainsi, lors de cette tournée en Amérique du Sud débutée au Bourget en attendant six heures un hypothétique avion brésilien. Mme de Freedericksz se rappelle : « *A peine avons-nous décollé que le copilote, en faisant un tour parmi les passagers, me reconnaît. Il se rappelle m'avoir déjà rencontrée lors d'un déplacement semblable. Il me propose d'aller dans la cabine de pilotage, ce qui est toujours très intéressant. Je le suis donc. J'y suis accueillie très courtoisement. On m'offre des fruits, nous parlons du voyage et tout va bien… jusqu'au moment où le mécanicien dit quelques mots en brésilien au pilote. Je ne comprends rien, mais ce dernier lui répond d'un air assez inquiet, tout comme le copilote. Inquiétude qui ne tarde pas à me gagner aussi, surtout lorsqu'ils me conseillent de regagner ma place en m'avouant avoir quelques petits problèmes, mais en me recommandant, surtout, de n'en rien dire à qui que ce soit. En fait, l'avion avait six heures de retard car il venait de Londres où il avait déjà eu des ennuis techniques. Nous faisons route vers Lisbonne, dans la nuit. Je reste silencieuse à ma place, persuadée, à chaque trou d'air, que nous tombons. Nous arrivons quand même à destination où l'on nous offre un petit déjeuner pour nous remettre. A cause de ces retards et du décalage horaire, c'est d'ailleurs un voyage où nous n'avons eu que des petits déjeuners ! Notre pilote vient ensuite nous présenter celui qui le remplacera aux commandes jusqu'à Dakar. En le voyant, je lui trouve absolument une tête à nous faire tomber. Je suis sûre que nous n'arriverons jamais à Dakar. Si j'avais pu, j'aurais démissionné dans l'instant ! Nous décollons. C'est de nouveau la nuit, et, bien sûr, je ne ferme pas l'œil une seconde. A chaque trou d'air, je crois toujours que nous tombons. Nous arrivons quand même à Dakar. Nouveau petit déjeuner et nouvel avion. Je suis rassurée et dès le décollage, je m'endors. Je me réveille environ une heure après et je regarde machinalement par le hublot : une hélice ne tourne que de façon intermittente et l'autre pas du tout ! En outre, le soleil qui avait commencé à se coucher à gauche de l'appareil continue à droite. Nous avons donc fait demi-tour ! Je me renseigne rapidement. C'est vrai, nous avons un petit problème de moteur et nous retournons à Dakar. En raison de cette "légère avarie", nous mettons deux fois plus de temps pour retourner et nous volons dangereusement près des flots. A Dakar, nous atterrissons entourés de voitures de pompiers et dans un concert de sirènes hurlantes. Pour nous réconforter, on nous loge dans un hôtel de luxe pendant qu'on répare l'avion. Je me permets de demander s'il ne serait pas, par hasard, possible d'en avoir plutôt un autre. Non. C'est celui-là qui est prévu et aucun autre. Nous repartons le lendemain, et pour détendre l'atmosphère, nous nous sommes livrés à une sauvage bataille d'oreillers. Nous sommes arrivés à bon port, mais en descendant de l'avion nous avons vu qu'il portait le ruban bleu de record de vitesse pour rallier Paris à Buenos Aires en 36 heures. Nous en avions mis exactement 72. Pas question pourtant de retarder le spectacle, et les malheureux danseurs, jambes gourdes et pieds enflés, ont pris tout de suite la direction du théâtre. »*

Ce n'était pas la dernière aventure vécue par Mme de Freedericksz et les danseurs du Grand Ballet du

Marquis de Cuevas. En 1960, nouveau départ pour l'Amérique du Sud, pays qui se révèle également dangereux dans le domaine financier.

La tournée commence fort bien à Buenos Aires avec d'excellents spectacles au célèbre Théâtre Cólon. De là, la compagnie doit se rendre à Santiago du Chili, avec une halte à la frontière pour y donner aussi un spectacle. Au moment du départ, Mme de Freedericksz est avertie qu'il faut laisser quelques places dans l'avion de la compagnie à de hauts fonctionnaires qui doivent se rendre de toute urgence à Santiago. Elle choisit donc de reporter au vol suivant quelques personnes non indispensables au spectacle du soir, dont elle-même. A la dernière minute, cependant, les officiels annulent leur départ et tout le monde s'embarque dans le même avion : « *Nous avons essuyé une tempête terrible, raconte Marie de Freedericksz. Tout le monde était malade à bord. Nous sommes arrivés avec beaucoup de retard à Santiago, mais nous sommes arrivés. Contrairement à l'avion suivant, que certains d'entre nous, dont moi-même, auraient dû prendre, et qui s'est écrasé dans la Cordillère des Andes.* » Tout le monde se remet de ces émotions et les spectacles commencent dans une atmosphère très détendue. Pas pour longtemps. Continuons le récit de Mariuchka : « *Je partageais la chambre de Genia Melikova. Un matin, en me réveillant, je suis saisie de tremblements. Je pense que j'ai une crise cardiaque. Mais je vois Genia allumer la lumière et sauter de son lit pour entreprendre une sorte de danse étrange et désordonnée dans la pièce où tout bougeait : tremblement de terre. Nous nous sommes tous retrouvés dans la rue, assez choqués, pour nous rendre sans tarder à la répétition. Georges Govilov logeait dans un gratte-ciel qui avait tangué comme un paquebot en raison de sa construction antisismique. Chacun fait part de ses émotions, et le travail reprend, comme d'habitude. Nous apprenons dans la journée que l'épi-*

centre se trouvait à Concepcion, ville détruite à 80 %. En fait, nous aurions dû nous y trouver si l'orchestre ne s'était mis en grève, refusant de quitter Santiago car l'impresario ne voulait pas lui payer le petit supplément habituel pour les déplacements hors de la capitale. Cette grève nous avait probablement sauvé la vie. Mais nous n'étions pas au bout de nos frayeurs ni de nos aventures pour autant. Au lieu d'aller à Concepcion, nous partons en autocar pour Lina del mar, au bord du Pacifique. On nous installe dans un très bel hôtel pour nous remettre de nos émotions. A peine sommes-nous installés à table, dans une somptueuse salle à manger aux immenses colonnes, que la terre recommence à trembler. Panique générale, d'autant plus justi-fiée que nous savons ce qui est arrivé à Concepcion. Heureuse-ment, rien ne s'écroule vraiment. Nous commençons à respirer quand, dans l'après-midi, on nous annonce l'imminence d'un raz-de-marée consécutif au tremblement de terre. Nouvelle panique. Vyroubova est si traumatisée qu'elle refuse de danser. On doit la remplacer. Le raz-de-marée arrive apparemment plus loin car nous en sommes une nouvelle fois quittes pour la peur. Le spectacle se déroule bien et nous embarquons le lende-main en autocar pour rejoindre l'aéroport et prendre l'avion pour Buenos Aires. A peine sommes-nous en route qu'on nous prévient qu'il faudra faire un détour, car des éruptions volca-niques se produisent un peu partout, suite toujours au tremble-ment de terre. C'est à peine si nous avons encore le courage d'avoir peur ! Nous arrivons néanmoins sans encombre et en retard à l'aéroport, pour apprendre que notre avion n'est pas là. Il va falloir l'attendre, car on l'a réquisitionné pour porter des secours à Concepcion. Nous attendons toute la journée, écoutant la radio et apprenant ainsi que les tremblements de terre continuent à se multiplier un peu partout dans la région. Cela devait durer deux mois au Chili. »

A Buenos Aires, ensuite, la compagnie ne doit donner qu'un gala sans décors. Il se passe très bien… avec une seule interruption et une évacuation due à une alerte à la bombe ! Le lendemain, spectacle à Montevideo. Sur la côte est, les tremblements de terre ne sont plus à craindre et le moral de la compagnie revient au beau fixe. Mais surgissent des imprévus d'un autre genre. Quand arrive le matériel indispensable aux spectacles, on apprend que tout ce qui pouvait ressembler à une construction est resté au Chili et a été envoyé avec les secours à Concepcion pour servir d'abris aux sinistrés. Même la maison de Giselle qui n'a que trois côtés, et le petit piège à papillons de *Piège de lumière* ! Il a bien fallu s'en passer.

De Montevideo, la tournée s'est poursuivie au Brésil, à Rio d'abord, puis à São Paulo. La compagnie débarque en pleine campagne électorale, juste avant les élections présidentielles. Il y a beaucoup d'agitation et de manifestations dans les rues, mais a priori, le théâtre est un havre de calme. Malheureusement, l'impresario a eu vent de cette représentation de *Roméo et Juliette* dans la cour du Louvre offerte quelque temps auparavant par le marquis de Cuevas au « peuple de Paris ». Il vient donc demander si, dans la mesure où le marquis s'intéresse au peuple, on ne peut pas faire de même ici et offrir un spectacle gratuit à tous ceux qui n'ont pas les moyens d'acheter une place, car la population est très pauvre. Comment refuser ? Quand le spectacle commence et que Mme de Freedericksz quitte la coulisse pour s'installer dans la salle, quelle n'est pas sa stupeur de voir que le public populaire annoncé est en fait exclusivement composé de militants masculins brandissant d'immenses banderoles au nom de l'un des candidats à la présidence. Angoisse absolue : et si ce candidat était anti-américain ? Qu'en penseraient les trusts qui financent la compagnie ? Mais impossible de faire marche arrière. C'est dans un tohu-bohu de meeting électoral, au milieu des sifflets et des slogans, que le rideau se lève sur *Dessin pour les Six*. Devant les danseuses jambes nues et en tutu noir, les hurlements, les coups de sifflets et les quolibets redoublent. Les danseurs, professionnels avant tout, exécutent néanmoins intégralement le programme comme s'il s'agissait d'un gala au Théâtre des Champs-Elysées.

Le sort n'a pourtant pas fini de s'acharner sur cette tournée comme s'il voulait absolument venir à bout de la patience et de l'endurance de tous. Le voyage doit se poursuivre en Colombie, par Cali, Medellin et Bogota. Avant de quitter São Paulo, la troupe apprend qu'elle doit être très à l'heure à l'embarquement, l'aéroport de Cali étant dépourvu d'éclairage ! Il faut donc atterrir avant le coucher du soleil. A l'aéroport, pourtant, l'attente se prolonge indéfiniment. Ceux qui s'en inquiètent s'entendent répondre : « *Ne vous en faites pas. On s'arrangera toujours.* » Mais justement, les danseurs s'en font beaucoup après les épisodes des dernières semaines. Le moment enfin venu, il faut bien embarquer quand même. Il y a d'abord une escale, longue, en pleine Amazonie, à Manaos, avant de repartir pour Cali en pleine nuit, n'espérant plus qu'en la clémence divine. Elle se manifeste sous la forme d'énormes barils remplis de poix enflammée qui balisent la piste d'atterrissage, décor dantesque et surréaliste, dont le marquis ni même Salvador Dali n'auraient jamais osé rêver pour les danseurs ! Le lendemain matin, au théâtre, on apprend que la moitié du matériel et des costumes est restée au Brésil, pour une raison inconnue. Information confirmée par téléphone à Mme de Freedericksz qui a appelé São Paulo : « *Ils me rassurent en me disant qu'ils vont tout envoyer très vite. Pour le spectacle du soir, il faut se débrouiller. On repeint des tutus et des chaussons, on modifie des costumes, bref, on s'arrange pour donner un spectacle, pas très réussi, mais le public de Cali, manquant sans doute de*

95

points de comparaison, nous fait un triomphe. Le lendemain matin pourtant, quel n'est pas mon étonnement de recevoir un coup de téléphone de l'aéroport, m'annonçant qu'on a tout retrouvé. C'était dans une cale qu'on a ouverte en appuyant par hasard sur un bouton... Je n'ai toujours pas compris par quel mystère on avait affirmé les avoir au Brésil ! »

Et voilà la compagnie partie pour Medellin, ville encore assez calme et agréable à l'époque, où elle donne un spectacle avant de rejoindre Bogota. Or la capitale de la Colombie se trouve à 2 500 mètres d'altitude, inconvénient non négligeable pour qui doit fournir un gros effort physique. En outre, les danseurs sont déjà épuisés par cette tournée qui n'en finit plus et où chaque jour apporte son lot d'inquiétude, voire d'angoisse. Ils sont pris de malaises dès les premières répétitions. Les coulisses sont donc remplies de bouteilles d'oxygène vers lesquelles ils se précipitent dès qu'ils sortent de scène et avant de s'élancer de nouveau sous les projecteurs. A cette seule condition, ils parviennent à assurer le spectacle. Puis, soudain, quelqu'un aperçoit dans la salle une caméra de télévision. Or aucun contrat autorisant à filmer n'a été signé. L'infatigable Mariuchka de Freedericksz va trouver l'équipe de télévision pour lui demander de quel droit elle filme. Impossible de discuter sur place, il faut se rendre dans les locaux de la chaîne. A peine rassurée, elle doit partir en voiture avec ces inconnus qui finissent, après de longues négociations, par lui céder le film. Une fois visionné, celui-ci se révèle totalement vierge. Mais trop tard pour agir ! Pendant ce temps d'autres ennuis se préparent dans l'ombre. Depuis qu'il est question de ce passage à Bogota, l'impresario argentin de la tournée vante sans cesse les mille qualités de son merveilleux ami Gutierrez, lui-même impresario et surtout directeur du théâtre où la compagnie se produit. Or, en autocar vers l'aéroport afin de continuer le voyage vers le Venezuela, l'impresario argentin semble bizarre, absent, inquiet. Interrogé sur la nature de ses états d'âme il finit par avouer que son cher ami Gutierrez a disparu avec la caisse !

Arrivés à Caracas cette fois sans encombre, mais dans une chaleur étouffante à couper les jambes, les danseurs apprennent que le spectacle est retardé de vingt-quatre heures, en raison d'une grève de l'orchestre qui ne s'estime pas assez payé. C'est peu de chose par rapport à ce qu'ils ont vécu. Tout comme le fait qu'en arrivant à Mexico l'avion soit détourné sur un autre aéroport car celui de la capitale est inondé. Ou encore que l'avion qui les ramène de New York vers Paris ait un hublot défectueux que seule la colle à perruque fournie par George Zoritch parvient à maintenir à peu près en place. Au prix toutefois d'une température polaire vers le haut de la carlingue... Finalement, tout le monde est de retour sain et sauf. Les épreuves n'ont jamais eu de répercussions sur la qualité des spectacles, et la compagnie est plus solidaire et plus homogène que jamais. D'ailleurs, rien de tel que ces incidents de parcours pour rendre les danseurs inventifs. Ils savent trouver une solution à tout. Même aux situations les plus inattendues. Ainsi, en Argentine, la compagnie se rend un jour en train à quelque cinq cents kilomètres de Buenos Aires. En pleine nuit, un arrêt dans une gare s'éternise. A moitié endormis, quelques danseurs descendent sur le quai. Ils ne leur faut pas longtemps pour se réveiller complètement. Leur wagon s'est détaché du reste du train qui est parti sans eux. Apparemment, on les a oubliés. Et si un autre train arrive sans les voir ? Imre Varady trouve une solution pour parer au plus pressé. Il accroche une lampe de poche à l'arrière du wagon comme signal de détresse. Du bricolage, mais dans cette gare déserte, les danseurs se sentent un peu rassurés. Ils n'ont heureusement pas beaucoup à attendre. On s'est aperçu de leur disparition et leur train est revenu en arrière les chercher. Comme le remarque avec philosophie Marie de Freedericksz : « *En général, en tournée, il se passe chaque semaine deux choses totalement imprévisibles, agréables ou désagréables. Quelqu'un a mis son passeport dans sa valise enregistrée en soute. Ou bien, c'est moi qui suis arrêtée à Orly et conduite au poste. La douane a trouvé trop d'argent sur moi. J'emporte en effet les cachets de plusieurs danseurs qui ne sont pas venus les chercher avant le départ. La somme est bien plus importante que celle autorisée alors à l'exportation. Je dois expliquer longuement aux douaniers que je ne fais pas de transferts illicites de capitaux. Qu'ils ne peuvent pas non plus me confisquer cet argent, sans quoi les danseurs concernés n'auront pas de quoi vivre pendant la tournée. Notre univers n'est pas très compréhensible pour eux. Ils passent maints coups de téléphone, finissent par me croire, mais je manque mon avion. La compagnie m'attend à l'arrivée, un peu anxieuse et surtout inquiète, car c'est moi qui ai les adresses et le planning de la tournée. Comme d'habitude, on s'embrasse et on rit à l'idée de me voir en prison ! Parfois, un contretemps peut avoir une issue dramatique. Nous quittons un jour Cannes pour l'Egypte. Nous attendons un danseur qui n'arrive pas. Nous partons sans lui... Parvenus à destination, nous apprenons qu'il a été assassiné dans sa chambre d'hôtel.* »

En 1955, la compagnie visite quarante villes différentes. En 1959, record absolu : ce sont soixante-trois villes qui la reçoivent, parmi lesquelles Mostaganem, Lisbonne, Vienne, La Chaux-de-Fonds, Marseille, Oslo, Calais, Buenos Aires, Rio ou Casablanca. En avril, lors d'une tournée aux Pays-Bas, on danse dans quatorze villes en quinze jours. Malgré le rythme infernal imposé par ces spectacles, les danseurs tiennent le coup, car ils n'ont pas le temps de laisser la pression se relâcher. Ils sortent souvent de l'autocar, du train ou de l'avion les jambes gonflées et les pieds gourds, et se rendent tout de suite au théâtre où ils enchaînent le cours, la répétition et le spectacle. Ceux qui sont malades restent à l'hôtel et rejoignent la compagnie à l'étape suivante. « *On n'a jamais oublié personne !* » précise Hélène Sadovska. Les retardataires se débrouillent pour rattraper leurs camarades. La compagnie quitte un jour Cannes en train pour l'Italie. Golovine arrive à la gare sans sa femme « *Où est Liliane ?* » Réponse qui étonne tout le monde : « *Elle dormait encore quand j'ai quitté l'hôtel.* » L'épouse oubliée arrive trop tard et doit suivre le train en taxi jusqu'à la première gare où il s'arrête. Rires et embrassades... Couchés tard, levés tôt, les bagages à faire et à défaire, « *nous étions sur les genoux,* reconnaît Nina Vyroubova, *mais tout le monde était traité sur le même pied d'égalité. Il n'y avait pas de conditions spéciales, plus confortables pour les étoiles. C'était très bien ainsi car il fallait y mettre tout son cœur et toute sa passion. On ne pouvait pas faire cela comme un simple métier* ». Une exception, cependant, dans ces voyages de groupe : le ménage Tallchief-Skibine, quand c'est possible, préfère sa petite MG décapotable : « *Nous arrivions très fatigués et échevelés,* se souvient Marjorie Tallchief, *mais c'était bien plus drôle !* »

Pour chaque tournée, les danseurs disposent d'une liste d'hôtels de façon à pouvoir se loger comme ils le désirent, seuls ou à plusieurs, et selon leurs moyens. En arrivant dans une ville, ils se livrent à un jeu de chaises musicales, chacun partant à la découverte d'un logis, en changeant s'il est déçu, ou s'il préfère en dernière minute se rapprocher de quelque camarade. D'où les nombreuses allées et venues de danseurs la valise à la main : tel hôtel est trop cher, celui-là sinistre, cet autre n'héberge personne de la compagnie... Un jour André Bon, qui, dit Hélène Sadovska « *en était toujours à trois sous près mais avait beaucoup d'humour, est le dernier à chercher encore le gîte idéal. Vient à passer l'Armée du Salut : "Ça y est ! Je suis sauvé ! J'ai trouvé" s'exclama-t-il à la grande joie de tout le monde* ».

Vivant de ses recettes et de l'argent de la marquise, argent correspondant aux sommes déductibles de ses impôts américains pour philanthropie, le Grand Ballet du Marquis de Cuevas est toujours financièrement précaire. Un rien peut le déstabiliser. C'est souvent au cours des tournées que surgissent les problèmes les plus épineux. Lorsque Mme de Freedericksz, nouvellement engagée par le marquis, organise et accompagne sa première tournée à Londres, des mesures draconiennes viennent d'être prises pour limiter le déficit. Les trusts américains ont envoyé un émissaire spécial du nom de Benjamin Carlin, l'espion mal accueilli, pour jeter un œil sur les comptes. C'est alors que l'on impose aux danseurs de nouveaux contrats : ils seront désormais payés selon le nombre de spectacles assurés. Le salaire est fixe s'il y a quatre spectacles par semaine, mais diminue s'il y en a moins. Nous avons vu qu'Eglevski préféra regagner le New York City Ballet. D'autres s'en vont également, comme Reznikoff. Le marquis l'aime beaucoup. Il ne peut faire un cas d'espèce, mais pour le consoler, il lui offre une Rolls. Au chômage, mais roulant en Rolls-Royce, qu'y a-t-il de plus chic ? Reznikoff ne tarda d'ailleurs pas à revenir dans la compagnie tout en gardant la Rolls.

Lors de la tournée en Egypte de 1954, Benjamin Carlin a déjà été prié de retourner aux Etats-Unis. C'est donc à Marie de Freedericksz qu'il revient totalement d'assumer le quotidien financier de la compagnie. Personne n'a pris soin de l'avertir des particularités fiscales du pays. Elle découvre à la fin de la tournée que, pour éviter de payer trop d'impôts qui engloutiraient tous les bénéfices, il aurait fallu déclarer à l'avance un prix très élevé des ballets. « *Nous sommes à Alexandrie quand cette nouvelle tombe. Nous risquons de repartir sans un sou et en laissant sur place décors et costumes. Je tente d'abord de discuter avec un fonctionnaire des finances. Il m'invite aimablement à dîner dans un restaurant local plutôt modeste. Par conscience professionnelle, j'avale la soupe verte et visqueuse qui constitue l'essentiel du repas. Sans résultat probant pour nos problèmes. Je prends alors mon courage à deux mains et le train pour Le Caire où je demande à être reçue au ministère. Je me retrouve comme une accusée, assise sur un tabouret au milieu d'une grande salle, entourée d'une vingtaine de personnes qui discutent en arabe. J'arrive à obtenir qu'on me traduise leurs propos en anglais. Je m'accroche comme pour sauver ma tête. J'ignore ce que j'ai dit et quels arguments j'ai inventés mais nous ne payons pas un centime d'impôt et nous rapportons tout à Marseille, argent, costumes et décors ! Je suis là depuis un an à peine, mais mon apprentissage est fait !* »

Ces difficultés se présentent sous des formes toujours nouvelles. Ainsi, lors de la tournée en Amérique du Sud de 1954, la compagnie est invitée par deux impresarios, des frères très aimables. Claude Giraud a établi avec eux un contrat au taux de change officiel… Mais ce taux ne s'applique qu'aux grosses transactions industrielles, comme les produits agricoles ou les armes. Les danseurs n'entrant dans aucune de ces catégories, ils perdent environ 35 % de leurs revenus normaux. Comment compenser ce manque à gagner ? Il suffit d'avoir un peu d'idée. La tournée touche à sa fin. Rapatrier tout le matériel coûte cher. Si on vendait quelque chose ? Les frères impresarios proposent d'acheter des projecteurs. Marie de Freedericksz les leur vend et les danseurs récupèrent leurs gages, tout le monde est soulagé. Mais à Montevideo, le même problème se pose. Cette fois

Mariuchka se découvre un cousin russe dans une banque de la capitale. Grâce à lui la paye peut encore être assurée. Est-ce fini cette fois ? Pas vraiment. A Rio, où la tournée est gérée par un autre impresario à la réputation sulfureuse, Dante Eligiani, même scénario. Cette fois, les danseurs en ont assez. Ils menacent de faire grève. Mariuchka n'a plus de projecteurs à vendre, ni de cousin russe disponible. La situation est si critique que le marquis s'en mêle, par-delà l'océan. Après un échange de télégrammes assez vigoureux avec Eligiani, ce dernier accepte de payer les danseurs, mais confisque le passeport de Mariuchka. Il n'admet pas qu'une telle conscience professionnelle gêne ses magouilles. Elle récupère quand même son passeport au moment où le bateau de la compagnie va appareiller. Avec toutes ces émotions, elle a perdu sept kilos, mais rapporte 5 000 dollars en France : « *Ça arrangeait bien le marquis, et je crois que c'est pour cela qu'il m'a gardée !* » conclut-elle.

L'argent ! Il faut en trouver, quelle que soit la saison ! Claude Giraud a toujours des trouvailles de dernière minute pour éviter les creux dans l'activité des danseurs et dans les finances. Ainsi en 1953, le réalisateur italien Gianini doit réaliser un film à sketches intitulé *Carrousel fantastique* en Italie et *Carrousel napolitain* en France. C'est une série de scènes sur la vie du peuple napolitain, dont le fil conducteur est un recueil de chansons populaires appartenant à une famille de musiciens de rue. Plusieurs vedettes y participent. Sophia Loren, débutante, mais déjà d'une beauté absolue, se taille la part du lion dans une histoire très mélodramatique de chanteuse de café-concert dont l'amant est tué à la guerre. Elle apprend brutalement, un soir, la nouvelle, mais elle assure quand même son spectacle. Yvette Chauviré y interprète une héroïne non moins tragique dont l'amant est tué lors d'un duel au couteau par le mari inopinément sorti de prison. Elle est aussi d'une grande beauté et s'y montre actrice très expressive. Benjamino Gigli prête sa voix à diverses chansons, et il y a plusieurs intermèdes dansés dans le style commedia dell'arte, dont une tarentelle endiablée qui conclut le film. Leonide Massine règle les chorégraphies et le Grand Ballet du Marquis de Cuevas est engagé pour les danser : « *Nous avons tourné en plein été, se rappelle Hélène Sadovska, en partie à Cinecittà, en partie à Naples. Il faisait naturellement une chaleur insupportable. D'ailleurs la plupart des étoiles s'étaient esquivées, sauf Skouratoff, Denise Bourgeois et je crois Rosella. Des conditions de travail difficiles donc, mais, l'horreur, pour nous, ce fut la découverte des cachets. On nous avait vendus en bloc, sans faire de détail et pas du tout aux tarifs du cinéma !* » Le film connaît un certain succès. Il est même présenté au festival de Cannes et on l'a revu en 2002 à la télévision. Ses images très naïves et son réalisme de carton-pâte sont conçus avec tant de conviction au premier degré qu'ils en deviennent poétiques. Outre la beauté des actrices, on est frappé par l'énergie des danseurs de Cuevas – hélas le plus souvent masqués – ce qui ajouta sûrement à leur frustration !

En tournée, partout, comme le souligne Mme de Freedericksz, le pire peut arriver. Même dans les lieux les plus civilisés. Lors d'une tournée à Hambourg en février 1961 on donne *La Belle au bois dormant*, dernière et triomphale production de la compagnie. Nouvelle star internationale après sa spectaculaire évasion au Bourget, Noureev en est la vedette avec Yvette Chauviré. Le décor est planté, tout est prêt pour la première. En l'absence des danseurs, un machiniste tire malencontreusement sur la mauvaise manette et déclenche « le grand secours ». C'est ainsi que l'on nomme dans les théâtres, le système de lutte anti-incendie qui inonde absolument toute la scène et les coulisses en quelques secondes. Quand Chauviré, Noureev et les autres reviennent se préparer pour la soirée, un spectacle de désolation les attend. Les magnifiques décors de Larrain sont trempés et dégoulinants. On craint qu'ils ne soient définitivement gâtés. Larrain est au bord de la crise de nerfs. Pas question de jouer le soir, tant pis pour l'escouade d'admirateurs et d'amis parisiens qui ont fait le voyage. Dans le théâtre, on branche et on met en marche tout ce qui chauffe et qui souffle. Les décors sèchent peu à peu, à peine abîmés, mais il faut attendre deux jours pour danser.

Hâtivement baissé, le rideau de fer a rouillé et reste coincé. Le bruit court même que ce ne serait pas un hasard mais une cabale contre Noureev, fomentée par des communistes allemands alors nombreux à Hambourg...

4.

Le bal de Chiberta

Avec son bal à Chiberta, le marquis de Cuevas va créer un événement mondain et culturel d'un retentissement mondial. Cinquante ans après, on en parle encore. Donnée le 1ᵉʳ septembre 1953 sur le terrain du Country Club de Chiberta, près de Biarritz, cette fête est peut-être l'événement qui concrétise le mieux la célébrité acquise en quelques années par cet étonnant personnage. Après tout, en 1953, il dirige la compagnie depuis six ans seulement. Même s'il avait déjà de multiples relations internationales en arrivant en France, c'est bien la danse qui, en si peu de temps, lui a procuré cette renommée quasi universelle. Une grande fête comme celle-là est idéale pour faire briller tous ses talents, aussi mondains qu'artistiques. Il peut laisser libre cours à sa fantaisie, à ses rêves de grandeur aristocratique et de mécène. Et c'est là, très précisément, qu'il est sûr de battre ses principaux rivaux sur le terrain du jeu mondain. Ni Carlos de Besteguy invitant dans son palais vénitien, ni Arturo Lopez, ni aucun autre milliardaire de l'époque, ne peut recevoir au nom des Arts, en offrant le spectacle de sa propre compagnie de danse. Au célèbre bal Besteguy de Venise, ce sont des danseurs de chez Cuevas, comme Marjorie Tallchief et George Skibine, qui ont, en invités et non en hôtes, assuré le spectacle. Accueillir dans un lieu magique, c'est bien. Le faire en assurant le spectacle avec ses propres danseurs, c'est encore beaucoup mieux ! Parmi tous ces gens riches, beaux ou talentueux, et souvent les trois à la fois, George de Cuevas est le seul à pouvoir s'offrir ce luxe suprême.

Dans le contexte des joutes mondaines de l'époque, il est évident que le Chiberta de Cuevas est une réponse au Venise de Besteguy. Une joute digne des rivalités des seigneurs d'autrefois, comme celle qui coûta si cher à Fouquet face à Louis XIV ! En mars 1951, Carlos de Besteguy organise l'une des fêtes les plus éclatantes de l'immédiat après-guerre. Propriétaire de mines d'or au Mexique, il possède, entre autres biens, un immense château dans les environs de Paris, à Montfort-l'Amaury et, à Venise, le palais Labia qu'il a fait restaurer. C'est dans ce cadre d'exception qu'il décide d'organiser un grand bal XVIIIe siècle qui doit être la fête la plus fastueuse de l'époque. Des invitations sont lancées dans le monde entier aux plus grandes fortunes et aux artistes les plus en vue. Le grand soir venu, ils sont mille deux cents, venus de tous les pays, costumés et endiamantés, à rejoindre en gondole, ou en vedette à moteur, le féerique palais illuminé de milliers de chandelles. Au son de plusieurs orchestres dont les musiciens sont eux aussi dûment costumés, on danse jusqu'à l'aube. Fête mondaine réservée à quelques élus, mais aussi fête populaire puisqu'un bal ouvert à tous se déroule simultanément sur la Piazza San Geremia derrière le palais. La chronique précise même que la Bégum y a dansé avec un verrier vénitien. Le peintre Touchagues préfère cette fête à celle du palais, et remarque que le petit peuple vénitien s'amuse encore plus que les riches invités de Besteguy. Pourtant, quelle belle assemblée ! Le maître de maison est costumé en Cagliostro, Gene Tierney en bergère toute simple dans une robe qui n'a coûté « que cinq mille francs ». La princesse Chavchavadze tient sa cour dans le hall du palais, comme elle l'aurait fait à Saint-Pétersbourg au temps des tsars. Elle trône les épaules ceintes d'un immense manteau aux armes impériales de Russie et bordé d'hermine. En toute simplicité, elle incarne Catherine II. Fidèle au climat de ses peintures, Léonor Fini est un ange noir aux yeux immenses. Comme on ne commence jamais assez tôt son éducation de femme du monde, on voit une petite fille bien née, Diamante Luling, âgée de quatre ans et demi, déguisée en Mozart, un violon à la main, qui erre un peu perdue entre les paniers des robes et les chausses à la française des messieurs qui limitent son univers visuel. Orson Welles doit se contenter d'un turban et d'un smoking, son costume n'était pas prêt. La belle Lady Diana Cooper s'est transformée en Cléopâtre. Christian Dior et Pierre Balmain, qui avaient réalisé bon nombre de costumes, sont tout aussi somptueusement vêtus et, comme plus tard à Chiberta, photographes et policiers sont perruqués et masqués. Il faut fournir autant de photos que possible aux magazines du monde entier et veiller sur les parures de pierres précieuses dont il est impossible de chiffrer la valeur globale. Le temps d'une nuit, Venise a revécu des fastes d'un autre temps.

Le marquis de Cuevas, avec son goût et son sens de la fête et du luxe, est évidemment piqué au vif : il faut répliquer ! Mais son bal doit être aussi un formidable coup de publicité pour sa compagnie. Le bruit de la fête doit parvenir aux oreilles de tous, même de ceux qui n'ont jamais été et qui n'iront jamais à un spectacle de danse. Et pour les invités, c'est une manière de réaffirmer leur appartenance à la société des privilégiés qui, de par le monde, est l'un des soutiens essentiels et l'une des parures de la compagnie. L'idée d'une telle manifestation est peut être venue spontanément au marquis ; on ne peut nier non plus la marque de Claude Giraud, jamais à court de trouvailles pour relancer l'image médiatique des danseurs. Lors de sa fête, Besteguy n'avait fait que dépenser de l'argent. Avec la sienne, le marquis peut espérer en gagner, à plus ou moins longue échéance...

Les trois points d'ancrage principaux de la compagnie étant Cannes, Deauville et Paris, pourquoi Biarritz ? Le lieu doit être touristique, mais fournir aussi la logistique nécessaire. Pour que le bal soit un événement remarqué, il ne doit pas être noyé dans une saison trop riche en grandes manifestations internationales : la Côte d'Azur est donc écartée. Deauville trop proche de Paris est écartée aussi. Reste l'autre grande région touristique de France, Biarritz et la Côte basque, encore en vogue dans les années d'après-guerre, mais un peu en déclin, face à la Côte d'Azur où Saint-Tropez galvanise l'attention du monde entier. Depuis que l'impératrice Eugénie en avait fait sa villégiature préférée, Biarritz a toujours attiré non seulement beaucoup de ses voisins immédiats, les Espagnols, mais aussi de nombreux Sud-Américains. Chilien de naissance, mais espagnol d'origine et français de cœur, le marquis y a souvent séjourné. Tout contribue donc à orienter ce choix. D'autant que les édiles locaux sont enthousiastes : cette fête au grand retentissement international sera un moyen de relancer le tourisme dans la région. Enfin, même si septembre est toujours le rendez-vous des golfeurs, les abondantes infrastructures hôtelières sont loin d'être toutes occupées et peuvent fournir sans difficulté les lieux d'hébergement ainsi que le personnel spécialisé nécessaires. La date du 1er septembre est donc arrêtée, car l'arrière-saison est toujours belle sur la Côte basque.

Est-ce vraiment le moment idéal ? A priori, le contexte politique et social de la France ne se prête absolument pas à ce genre d'entreprise, sauf peut-être pour compenser l'inquiétude quotidienne. En ce mois d'août 1953, le pays est en effet au bord de l'implosion. Les problèmes sociaux, économiques et politiques de tous ordres s'accumulent. L'année précédente, le ministère Pinay a certes consolidé le franc, et créé le SMIG, mais aussi entraîné un ralentissement économique. La diminution des investissements engendrée par les mesures de blocage des prix était destinée à juguler l'inflation. Arrivé au pouvoir, Joseph Laniel, par souci de rigueur budgétaire, a voulu réaliser des économies sur les fonctionnaires et les employés des entreprises nationales. Il s'ensuit dès le mois d'avril 1953 la plus grave crise sociale connue en France depuis 1947. Une grève spontanée des PTT, de la SNCF et de l'EDF paralyse le pays pendant presque tout le mois d'août. Simultanément, les agriculteurs protestent contre l'insuffisance des prix. A cela s'ajoutent encore les soucis de la décolonisation, car, outre l'Indochine, la Tunisie et le Maroc commencent à s'agiter. Après les mesures de répression en Tunisie, le gouvernement français a déposé, au mois d'août, le roi Mohamed V du Maroc qui soutenait le mouvement nationaliste Istiqlal. La Quatrième République commence à s'enliser dans une série de crises qui vont précipiter sa chute, puisque le président Coty, élu cette année-là, n'ira pas au bout de son septennat et cédera les rênes du pouvoir au général de Gaulle en 1958.

Depuis sa planète artistique et mondaine, le marquis de Cuevas ne peut totalement ignorer tout cela, mais en évalue-t-il réellement l'importance ? La politique n'est pas son terrain d'action et il est à l'abri des crises économiques, même si la compagnie en subit les contrecoups. Par précaution, il déclare quand même : « *Cette fête avait été prévue il y a de longs mois et, malgré les difficultés sociales que connaît actuellement la France, j'ai maintenu ce bal qui va faire venir sur la Côte basque de très nombreux étrangers. Il est en effet opportun de prouver aux yeux du monde que le tourisme français continue.* » C'est déjà l'un des arguments qu'il reprendra plus tard dans le conflit qui l'opposera à certaines publications d'obédience catholique. Mais la machine a été mise en route, et plus rien ne peut l'arrêter.

Biarritz une fois élu, le choix s'arrête donc sur le vaste espace du Country Club de Chiberta. Sa position en bordure du lac en fait un cadre romantique idéal, facile d'accès, parfait pour une évocation du *Lac des cygnes, in situ*, sur les eaux. Les pavillons du club abriteront quelques éléments indispensables de logistique. Celle-ci est orchestrée de chaque côté de l'Atlantique. A New York un bureau s'occupe des invitations, des finances et des projets d'aménagement et de décoration. Le décorateur Valerian Ryper élabore, à partir de photos des lieux, des maquettes qui vont transformer les abords du lac en Trianon de tarlatane rose sous ciel bleu. A Biarritz, les autorités locales mobilisent toutes les bonnes volontés disponibles, bénévoles ou professionnelles. Il faut prévoir des espaces assez vastes pour garer les voitures, le matériel nécessaire pour assurer le spectacle sur l'eau et sur terre, pour faire danser les invités, pour les nourrir, et aussi pour accompagner avec la pompe adéquate les fameuses « entrées » qui seront le clou de la manifestation. Chargé d'inspecter les lieux en détail, Jacques Stéphant adresse dès le 18 avril, soit presque cinq mois à l'avance, un rapport complet. On ne peut qu'admirer le professionnalisme absolu avec lequel le moindre détail est analysé : de la reconversion de la scène – qui doit ne pas être glissante pour les danseurs professionnels – en piste de danse – au contraire glissante pour les invités – aux rampes d'accès communes et sécurisées, les loges où rien ne manque, l'éclairage et l'insonorisation, jusqu'à ce qui, dans le décor naturel, doit être mis en valeur ou au contraire dissimulé. Il faut également songer à l'installation d'un velum au cas où le temps se gâterait. Enfin, qui dit spectacle de danse à cette époque dit nécessairement orchestre, indispensable aussi pour le bal. A qui faire appel ? On ne peut priver les brasseries et les cabarets de Biarritz de leurs musiciens qui sont la principale attraction de ces établissements. Il semble plus judicieux de s'attacher les services de l'une des formations symphoniques sillonnant le pays en période estivale. Grâce à cette activité intense de la compagnie menée tant à New York qu'à Biarritz sous la houlette de Claude Giraud et de Jacques Stéphant, et celles de la ville sous celle du comte de Vallombreuse alors président d'honneur du syndicat d'initiative de la Côte basque, tout est prêt en temps voulu.

Le marquis a d'emblée fixé les règles de la soirée, présentée comme le plus grand événement mondain de la saison internationale. Outre spectacle, bal et buffet, les quelque trois mille invités privilégiés doivent impérativement être en costume XVIIIe siècle. Cette obligation s'étend aussi aux photographes et aux services de sécurité, fort abondants pour veiller sur les personnalités et les bijoux.... Ce détail retient vite l'attention de la presse. Dès le début du mois d'août, *l'Aurore* titre : « *Pour surveiller les bijoux des 3 000 invités du bal Cuevas, des policiers se costumeront en bergers du XVIIIe siècle.* » Bien d'autres organes de presse se font l'écho de cette croustillante perspective digne des films des Marx Brothers et qui réjouit beaucoup les esprits malicieux.

Pourtant, le soir du bal, dix-sept policiers dont on avait pris les mesures pour des habits de laquais sont aussi déçus que furieux : en dernière minute, on a attribué leurs tenues à un renfort de porteurs de torches, et pour ne pas briser l'harmonie générale, ils doivent rester en costume de ville, dissimulés dans les buissons les plus proches.

111

Chaque jour, de nouveaux détails, de nouveaux chiffres, de nouvelles rumeurs emplissent les colonnes des journaux pour faire rêver dans les chaumières : le velum tendu au-dessus des buffets mesurera 2 500 m². Il y aura trois pistes de danse en plus d'une scène de 14 mètres sur 14 dressée au bord de l'eau. A minuit, les danseurs de la compagnie interpréteront un passage du *Lac des cygnes* sur un radeau qui arrivera de l'autre rive du lac, sur laquelle se déroulera simultanément au bal une grande fête populaire ouverte à tous, comme à Venise. L'Agha Khan sera là, avec la Bégum et le prince Ali. Ce sont les figures mondaines les plus populaires de l'époque, étalant partout leur fortune, les bijoux de la Bégum « les plus chers du monde », et les fiancées du prince Ali, modèle jamais égalé du play-boy international, « les plus belles du monde ». Mais il y aura aussi la princesse Colonna, vêtue de la robe historique de son aïeule Marie Mancini, malheureuse fiancée éphémère de Louis XIV. Le torero Luis-Miguel Dominguin, l'un des plus beaux hommes de l'époque, fera une entrée espagnole. La presse regorge de ces noms célèbres dont chacun s'empare comme pour s'approprier aussi un peu de leur éclat ; ces créatures inaccessibles seront, le temps d'une soirée, de vrais personnages de conte.

Pierre Balmain est alors au sommet de sa gloire. Il est la grande référence en matière d'élégance. Outre ceux de sa propre « entrée » il a réalisé de nombreux costumes dont celui du marquis lui-même : « *Il a eu la gentillesse de me demander de créer un costume pour lui et je l'avais habillé en dieu des Jardins. Il était entièrement vêtu d'or dans un tissu qui à ce moment-là était assez nouveau, un jersey américain, entièrement laminé d'or de 4 carats, et l'effet en était saisissant. J'avais fait réaliser dans ce même jersey tous les fruits qui ornaient sa perruque et son costume lequel était inspiré des costumes de ballet de Louis XIV. Il était accompagné dans son entrée de sa fille,*

Mme Hubert Faure, de son gendre d'alors. Hubert Faure, d'un jeune Ganay et de celle qui devait devenir Marella Agnelli, l'une des femmes les plus élégantes du monde. Je l'avais habillée comme les autres, en quatre saisons différentes, Mme Agnelli était la roseraie au printemps, M. de Ganay représentait le verger en été, Mme Faure les fontaines à l'automne et son mari la forêt en hiver. Je me suis amusé à composer pour moi et pour quarante-sept autres personnes car nous étions quarante-huit dans mon entrée qui évoquait les îles, les Français de la Martinique au XVIIIe siècle, nous avons fait une entrée très amusante qui a laissé un certain souvenir. C'était très bien réglé, presque comme un spectacle professionnel [1]. »

Le marquis, comme toujours véritable génie de la publicité, se fait photographier à volonté lors des ultimes essayages et répétitions à l'Orangerie de Versailles. Il paraît ainsi à la une des journaux dans le monde entier, vêtu de cet extraordinaire costume doré de dieu de la Nature, digne d'un opéra-ballet de Lully. Une fois de plus, il est difficile de faire exactement la part du théâtre, celle de la nécessité économique et celle du sérieux. A-t-il conscience des commentaires ironiques que cet habit peut susciter ? Il n'ignore pas les aspects extrêmes de cette assimilation à un roi de France, mais il en connaît aussi l'impact médiatique. En outre, il doit s'amuser follement de ce travestissement. Qui d'autre que lui peut se le permettre ? Quelques années plus tard, au moment de son duel avec Serge Lifar, il prouvera à nouveau sa capacité à assumer des situations que personne d'autre ne peut affronter.

Plus la date approche, plus la tension monte dans la région où l'on compte 15 % de touristes de plus que d'habitude à pareille époque. Beaucoup d'invités étrangers étant reçus dans les belles villas de leurs amis, Biarritz s'anime de

1. *Ibid.*

multiples réceptions à toute heure du jour et de la nuit. Et la presse continue à divulguer les dernières rumeurs qui circulent dans ce microcosme de plus en plus agité. On les savoure comme des mets de luxe. Au matin du 1ᵉʳ septembre, Jacqueline Cartier décrit dans *l'Aurore* ce climat fébrile : « *L'atmosphère de Biarritz est aujourd'hui délicieusement irrespirable. On s'énerve. On soupire. On se jalouse un peu pour une fleur de plus au costume. Bref, ce sont les coulisses d'un théâtre à la veille d'une grande première, et ce que sera le bal de ce soir, tout le monde le prévoit et personne n'en sait rien.* » Et d'énumérer avec autant d'humour que de sérieux les « catastrophes de dernière minute » : « *L'Aga Khan souffrant ne viendrait pas. Le costume de Mme Irving Shaw n'est pas arrivé. On a perdu la perruque de la marquise de la Falaise !* » Elle note encore : « *Les Américains, qui prennent la chose fort plaisamment, raflent les tissus les plus hétéroclites, ce qui laisse à penser que leur XVIIIᵉ siècle aura autant de rapport avec le vrai que leur Jeanne d'Arc made in Hollywood avec la nôtre.* »

Les impressions du peintre Touchagues confirment que la ville se transforme en ruche bourdonnante : « *Quelques heures avant la fête, au Miramar, une grande agitation régna. Des costumes travestis, il y en avait partout. Fiévreusement, ça chiffonnait. La couture était sur les dents, on bibelottait et on dévalisait les magasins ; au milieu de tout cela, on apercevait les épaules herculéennes et le cou frais de Pierre Balmain. Zizi Jeanmaire me confia ses soucis : "J'ai besoin d'un chameau pour devenir une princesse du désert." On le trouva dans un cirque. Et maintenant, il faut l'essayer, dit-elle, allons dans un pré. Perchée tout là-haut, Jeanmaire au début fit une drôle de tête. Puis elle s'habitua* [1]. » A l'évidence, ces dames sont prêtes à tout pour faire sensation. Coiffée par Alexandre, la duchesse de Maillé a dû se reposer à demi debout grâce à une super-

---

1. Touchagues, *En dessinant l'époque*, éditions Pierre Horat.

position de coussins pour ne pas ruiner le chef-d'œuvre réalisé sur sa tête par le célèbre coiffeur. Et puis, la grande actrice Gabrielle Dorziat a prévu de faire une « entrée » en bergère accompagnée d'un troupeau de jolies filles en moutons blancs. Mais voilà qu'elle apprend que Pierre Balmain utilise aussi des moutons, et que le marquis a prévu pour le décor pastoral quatre-vingts moutons en chair et en os auxquels s'ajoutent quatre vaches enrubannées empruntées au couvent des bernardines d'Anglet. Cela fait vraiment trop de bétail. Elle opte donc en dernière minute pour le chariot de Thespis chargé de comédiens de la Commedia dell'Arte. Mais quelle émotion ! Un marché noir du costume n'a pas tardé à s'organiser, et dans les heures précédant l'ouverture du bal, on paye jusqu'à 20 000 francs une simple jupe de bergère ! A court de perruques, la seule ressource est une poudre blanche qui se vend, dit-on, presque aussi cher qu'une poudre d'un autre genre, mais de même couleur...

D'angoissantes incertitudes demeurent. Que va faire Cécile Sorel ? Elle figure naturellement parmi les invités les plus attendus. Ses propres hésitations auxquelles s'ajoute l'art de faire parler d'elle entretiennent le doute sur sa présence jusqu'au tout dernier moment. Personne ne sait très bien si elle est au bal ou non : certains l'y voient et même la décrivent, alors qu'elle a renoncé à s'y rendre. Les versions de ses divers revirements ne sont pas toutes semblables. Touchagues les raconte ainsi : « *Le marquis de Cuevas avait demandé à Cécile Sorel d'être la Pompadour de la fête. Sorel n'était pas tout à fait décidée à tenir ce rôle. Je fus donc dépêché à son hôtel avec le chroniqueur Jean-Pierre Dorian pour essayer de la décider.... Après quelques minutes de convenance elle nous exposa son plan : "Dites à mon ami le marquis de Cuevas que j'irai à son bal comme simple invitée, au premier rang naturellement, et accompagnée de deux petites sœurs des pauvres à qui je donnerai l'argent — des millions — que le marquis viendra déposer au début du spectacle dans une corbeille que j'aurai sur les genoux.*" Naturellement Jean-Pierre Dorian lui dit *"Oui, oui. C'est d'accord, c'est d'accord"*, mais rien n'était d'accord et si des millions tombèrent, ce ne fut pas dans la corbeille de Cécile Sorel et ce fut Mme Bécheau-Lafonta qui fit revivre la Pompadour ce soir-là [1].» En fait, il semble que Cécile Sorel ait plutôt envisagé d'incarner Mme de Maintenon. Elle a même répété son entrée, dûment costumée et coiffée mais sans abandonner pour autant ses pensées les plus religieuses. A un ami lui proposant de venir prendre un verre au Sonys-Bar elle répond : « *Vous n'y pensez pas ! Proposer à une femme dans les ordres d'entrer dans un bistrot !* » Selon d'autres sources, elle a déclaré au *Figaro* : « *Toutes ces fêtes sont stériles puisque l'objet qu'elles proposent n'est pas la charité. Demain, je ne viendrai pas au bal du marquis* » et envoyé au marquis lui-même le billet suivant : « *Le degré de foi chrétienne que j'atteins désormais m'empêche d'aller à ta soirée. Je suis de tout cœur avec toi et je t'embrasse.* » Mais alors, que fait-elle à Biarritz ces jours-là et pourquoi la voit-on habillée en Mme de Maintenon ? Une grande leçon dans l'art de savoir retenir et entretenir l'attention des médias ! Et sans faux pas. Contrairement à cet autre invité, en veine de couleur locale, qui décide d'arriver en berger landais, sur des échasses. Hélas ! en répétant sur ces ustensiles d'un mètre soixante, il tombe, cassant une dent à l'un de ses voisins, en blessant légèrement un autre. Par mesure de prudence, l'entrée est supprimée... La honte absolue !

Et pendant que tout ce beau monde s'affaire en ville avec une frénésie dont Jacqueline Cartier dit que « *le mal que s'est donné toute cette foule élégante dans le seul but de se distraire est incroyable. Cela laisserait supposer qu'elle a vraiment de bien*

1. Touchagues, *En dessinant l'époque, op. cit.*

116

graves soucis à oublier pour s'étourdir ainsi », on s'active aussi sur les lieux pour d'ultimes préparatifs. Dix électriciens installent quatre-vingt-dix projecteurs et quarante haut-parleurs, tandis que deux kilomètres et demi de barrières sont déployés pour délimiter les 200 hectares du parc à voitures, et que les bancs empruntés aux écoles publiques sont recouverts de satin blanc.

Et vers neuf heures du soir, enfin, la ronde des voitures commence. Une ronde plutôt inhabituelle, même dans un lieu aussi touristique, car ces voitures, note le chroniqueur du *Figaro*, sont « *longues comme des cigares de La Havane et immatriculées à Madrid, à Montréal, à New York, à Hollywood, à Rome et même à Paris* ». Pour arriver au Saint des Saints, il faut franchir au moins six contrôles, assurés par des policiers très raffinés « *à talons rouges et à jabots* ». Le carton d'invitation aussi sophistiqué qu'un décor de théâtre en est le sésame indispensable. Malheur à celui qui l'a oublié, y compris l'organisateur de la fête lui-même ! Elisabeth de Cuevas, fille du marquis, raconte : « *Quand nous sommes arrivés mon mari et moi pour le bal, nous avons découvert que nous étions tous logés dans une sorte d'auberge assez minable. Elle n'allait pas du tout avec les préparatifs que nous étions destinés à y faire. Le jour du bal, quand nous avons été tous fin prêts, mon père, mon mari, moi-même et quelques amis, est arrivée une minuscule voiture décapotable pour nous emmener à Chiberta. Nous nous sommes entassés à grand-peine, car nos costumes étaient volumineux. Celui de mon père était énorme, le mien avait des plumes blanches qui se prenaient dans les branches de celui de mon mari qui représentait je ne sais plus quelle saison. Nous sommes arrivés au bal comme une roulotte de cirque. A l'entrée, les contrôleurs n'ont jamais voulu croire que c'était le marquis en personne qui arrivait avec si peu de décorum. Mon père s'est mis en colère, a fait une scène épouvantable. En vain.*

Nous ne serions jamais entrés si l'une de nos amies, avec des trésors de diplomatie, n'était arrivée à convaincre ces cerbères qu'il s'agissait bien du marquis de Cuevas et de sa famille ! »

Cet incident clos, le marquis peut faire une majestueuse entrée bien préparée avec tous ceux qui l'entourent, et prendre place sur l'estrade dans son costume tout doré de dieu de la Nature. Il ne reste plus aux autres « entrées » qu'à parcourir l'allée menant à ce trône pour venir s'incliner devant cet hôte quasi royal. Elles sont annoncées par l'acteur Maurice Escande, abandonnant un soir la Comédie-Française et ses classiques pour jouer les maîtres de cérémonie. Il y en a une vingtaine, chacune sur un thème différent et comportant plusieurs personnages, parfois répétées plusieurs semaines à l'avance. Guy d'Arcangues se souvient : « *J'avais vingt-sept ou vingt-huit ans. Je faisais partie de l'entrée de Pierre Balmain. Il en avait dessiné lui-même les costumes, dans le style colonial* XVIII*, très beaux, très simples, à rayures noir et blanc. Nous portions des chapeaux de planteurs. J'avais pour cavalière une ravissante Argentine de dix-sept ans, Lita Sanchez-Cirès. Elle est devenue la mère d'Inès de la Fressange ! Nous sommes entrés sur un rythme de menuet, comme pour un ballet. Nous avions beaucoup travaillé.* » Les célébrités se succèdent, rivalisant d'originalité. Les deux entrées les plus surprenantes sont celle de la chroniqueuse américaine Elsa Maxwell, sur un âne, habillée en Sancho Pança, rôle auquel semble effectivement la destiner sa rotondité naturelle. Redoutée pour la manière impitoyable dont elle rendait compte de tous les potins et de toutes les indiscrétions du grand milieu mondain international, mais par là même proche de tous les gens connus, elle a en l'occurrence marqué un point en renonçant à jouer les marquises ou les bergères au profit d'un personnage qui tire parti avec astuce de ses défauts physiques. A l'opposé, Zizi Jeanmaire apparaît en perle du désert, juchée sur un dromadaire, et assez légèrement vêtue pour rappeler que de telles jambes appellent la sobriété vestimentaire. Salvador Dali, accompagné de l'opulente Pastora Imperio, ancienne gloire de la danse espagnole, participe à l'entrée des Gitans. Le très beau Luis Miguel Dominguin fait chavirer les cœurs en Casanova et les femmes qui le reconnaissent jettent sous ses pas des fleurs, des éventails et des escarpins, comme les Espagnoles dans l'arène. Bettina apparaît en Inca, tandis que Merle Oberon campe une Titania de grand luxe, le cou orné d'un collier de 110 millions, les cinq laquais qui l'accompagnent n'étant autres que ses assureurs. Sans oublier Mme Clark Gable en Flore, Annabella en Fragonard, Suzy Solidor en Jean Bart, Gene Tierney en dame de la cour avec Ali Khan pour chevalier servant. Philippine de Rothschild a reconstitué « *La jeune fille au volant* », tableau de Chardin accroché dans le salon de son père. Quant au journaliste américain Art Buchwald du *New York Tribune*, il a opté pour une tenue de peau-rouge, « *U.S. go home* » tatoué sur son torse nu. Et parmi les bijoux qui font le plus jaser, le solitaire de 25 carats de Lady Detterding le dispute aux émeraudes de la duchesse d'Argill, cousine de la reine d'Angleterre, à la rivière de la marquise d'Arcangues et aux perles roses de Titania-Merle Oberon.

Une fois tout le monde « entré », le spectacle de danse peut commencer. De l'autre rive du lac s'avance un radeau dûment halé et sur lequel Rosella Hightower et les ballerines de la compagnie interprètent courageusement le deuxième acte du *Lac des cygnes* réglé par Mme Nijinska. Spectacle féerique pour les spectateurs, nettement moins pour les danseurs comme le relate avec humour Hélène Sadovska, alors membre du corps de ballet : « *Nous étions sur une barge qui arrivait de loin et comme elle était halée, elle n'avançait pas très régulièrement, ce qui posait quelques problèmes d'équilibre, notamment à Rosella. Mais elle s'en tira avec beaucoup de courage et de brio car c'était une virtuose en la matière, restée célèbre entre autres pour ceux qu'elle réalisait dans l'adage à la rose de* La Belle au bois dormant. *Quand nous sommes arrivés à la rive, nous nous sommes mises à courir dans l'herbe pour monter sur le podium. Il était bien éclairé, et l'effet devait être ravissant. Malheureusement, les gens, en bas, qui avaient commencé à dîner, se sont vite désintéressés du* Lac des cygnes *pour manger et papoter. Nous avons fait consciencieusement ce que nous avions à faire, même si ce n'était pas dans des conditions très valorisantes. Après le ballet, nous avons eu le droit d'aller au buffet et de nous mêler à la foule des invités. C'était gentil, mais tout le monde était superbe et nous, nous avions l'air de clochards, avec nos chaussons de pointe, nos tutus défraîchis, nos maquillages fatigués. Un peu suants, nous étions des romanichels à côté des superbes femmes si bien déguisées, car nous n'avions aucune possibilité de nous changer à moins de nous rembarquer sur le radeau, de repartir sur l'autre rive et de nous ramener encore par la même voie. Mais la vision de tous ces gens si élégants, si raffinés, était inoubliable. Ce soir-là, c'étaient eux les étoiles. »*

Et tout le monde danse jusqu'à l'aube, la valse, bien sûr, mais aussi sur tous les rythmes à la mode, et notamment sur de la musique sud-américaine très en vogue à cette époque, bien qu'anachronique par rapport aux costumes et aux perruques… Et pendant ce temps, sur l'autre rive du lac, où parviennent les lueurs du grand bal et quelques effluves de musique apportées par le vent, se déroule une fête populaire rassemblant quelque dix mille personnes à qui sont prodigués bière, limonade, orangeade, Coca-Cola et champagne pour les consoler de n'être point parmi les trois mille élus du marquis. Ces derniers ne traversent pas le lac pour rejoindre le peuple ce soir-là, mais peuvent s'y rendre le jeudi suivant lors de la traditionnelle fête au village à Arcangues, l'un des temps forts de la saison. Venus de Biarritz, de Saint-Jean-de-Luz, de Bayonne, les habitués de la fête peuvent alors se mêler aux privilégiés du bal, dans un bain de foule très démocratique. Le marquis est présent et tout le monde danse jusqu'à l'aube, sans protocole.

Cette nuit magique du 1er septembre n'a été marquée par aucun incident grave, hormis le malaise de la princesse Troubetskoï, incommodée par le rhum du buffet, et une altercation avec un prétendu roi d'Irlande, venu taper familièrement sur le ventre de l'ex-roi de Yougoslavie, « *son confrère* ». Et pour faire pleurer un peu dans les chaumières, un conte de fées vient couronner le tout. La presse locale relate la si touchante histoire de *la petite pâtissière de Biarritz* : « *Une petite pâtissière de Biarritz, Marthe Figué, avait fait le rêve d'assister au bal. Ingénument, elle écrivit au marquis de Cuevas, le suppliant de l'inviter, et comme le marquis est incapable de dire non, la petite Marthe reçut un beau matin la visite du comte Rasponi qui lui remit son invitation. Pierre Balmain, ayant eu vent de l'affaire, créa pour elle une charmante robe. "Un Greuze", s'écria le peintre Touchagues en l'apercevant. Le coiffeur Alexandre fit attendre les comtesses et les marquises pour se consacrer à la petite pâtissière et la princesse Simone Troubetskoï vint la chercher chez elle. Marthe dansa avec le duc de Brissac, le jeune prince Lucien Murat, Luis Miguel Dominguin et le comte d'Arcangues. Elsa Maxwell l'interviewa. A l'aube elle rentra chez elle après avoir vécu un véritable conte de fées.* »

Comme opération publicitaire, le bal de Chiberta est une réussite totale. Plus de cinq mille articles de presse portent le nom du marquis et de sa compagnie dans le monde entier. Aujourd'hui encore, même parmi ceux qui n'ont jamais vu un pas de danse, on associe le nom de Cuevas à cette fête demeurée inégalée. Mais pour le marquis, l'euphorie est de courte durée. Dès le lendemain du bal, l'*Osservatore Romano*, organe de presse officiel du Vatican, déclenche une vaste campagne de réprobation bien-pensante. Le marquis y est accusé d'avoir insulté la chrétienté en organisant une orgie païenne, immorale et barbaresque. « *Grâce à des capitaux mal acquis, il s'est permis de dépenser six millions pour se moquer de la misère. On n'a ni le droit de rire devant des larmes ni d'insulter la douleur. Ceux qui ne demandent rien exigent au moins qu'on ne les provoque pas. Et le jour où la vengeance se déchaînera, personne ne pourra blâmer la cruauté de ceux qui souffrent en silence.* »

Dans la foulée, Gilbert Cesbron reprend cette argumentation dans un article ironiquement titré « *Si Monsieur le Marquis veut bien se donner la peine...* ». Il y souligne lui aussi l'insulte à la misère que représente le déploiement de tels fastes et de telles richesses et propose au marquis de l'accompagner dans tous les lieux où sévissent misère et exploitation de l'homme. Ce débat est éternel. Avec un demi-siècle de recul, dans un contexte économique et social difficile, si peu d'années après la fin de la guerre, on ne peut s'étonner de l'intervention d'un journaliste insoupçonnable d'enrichissement personnel et ayant beaucoup œuvré à la réduction des inégalités sociales. Mais l'appel à la révolte d'un Vatican encore pris dans les fastes ostentatoires du règne finissant de Pie XII est un peu dérisoire. Plus scandaleux que Chiberta était sans nul doute l'accumulation et l'étalage rituel des richesses d'une Église vaticane décadente et dont le concile initié peu après par Jean XXIII, successeur de Pie XII, allait réformer bien des errements dans ce domaine. Eternelle balance, d'ailleurs, entre le scandale que représente l'exhibition de richesses et le désir de rêver des moins favorisés devant lesdites richesses. A la même époque, la télévision dut en grande partie son essor à la diffusion en direct du couronnement de la reine Elisabeth II d'Angleterre, déploiement plus ostentatoire, et d'une certaine manière plus stérile, de fastes infiniment plus importants. Aujourd'hui encore, toute une presse et de multiples émissions de télévision vivent de reportages montrant demeures, vêtements, voitures et fantaisies de la « Jet-Set », des dernières familles régnantes, stars de cinéma, sportifs de haut niveau, grands couturiers ou maîtres des pétro-dollars…

A ces attaques, le marquis répond par voie de presse : « *Traduit en anglais, allemand et chinois, cet article (de l'Osservatore Romano) me valut des centaines de lettres d'insulte ou au contraire de louanges. Quand je dis : me valut, ce n'est qu'une façon d'écrire. J'en reçois encore dix tous les jours. Ce n'est pas tout. Un journal catholique français crut bon de me consacrer une demi-page. J'appris ainsi le 11 septembre que mon bal avait été une "opération de publicité", "une aumône d'ivresse au peuple français", "une impudeur plus insultante que des pornographies" et avant tout une "chiennerie". Quant à moi, j'y étais comparé entre autres gentillesses au marquis de Sade. Et j'en passe. Ce n'est pas encore tout. Le dimanche 20 septembre, j'entendis sur la chaîne nationale une des voix les plus éminentes du haut clergé français vouer aux gémonies le bal de Biarritz.*

« *Devant ces insultes stériles et injustifiées, le catholique fervent que je suis resté ne peut que se révolter. Car on n'a pas le droit de jeter ainsi l'anathème sur quelqu'un sans connaître les raisons qui l'ont poussé à agir. Ces raisons, les voici, pour la première fois : mon bal m'a coûté… mettons un certain nombre de dollars. J'étais loin, de toute façon, des chiffres avancés. Pour ce prix, j'aurais pu m'acheter une villa, deux tableaux de maître ou quatre voitures. Personne n'aurait trouvé à redire. J'aurais pu partager cette somme entre les seuls pauvres de la Côte basque. Chacun aurait eu un petit déjeuner et j'aurais été traîné dans la boue. J'ai donc organisé le bal de Chiberta, ou plutôt, on m'a* demandé de l'organiser. *En effet, depuis un an, diverses person-nalités me demandaient de faire un effort pour le prestige du tourisme français. Quand les grèves éclatèrent, alors que j'étais isolé de tout et de tous, ces mêmes personnalités me supplièrent, par fil spécial, de ne pas renoncer à la fête prévue. Et cet appel m'était adressé – je cite les termes exacts – "au nom du proléta-riat". Je signale aussi à l'intention des rédacteurs de l'*Osserva-tore Romano que l'évêque de Bayonne et le vicaire général étaient au courant de ces démarches et les approuvaient.* » Le marquis développe ensuite une argumentation très structu-rée où il explique comment cette manifestation, par le nombre de gens qu'elle a attirés sur la Côte basque et auxquels elle a fourni un emploi en pleine période de crise économique et sociale, fut bénéfique pour quelques milliers de tra-vailleurs.

De manière encore plus détaillée, une lettre des « Maires de la Côte basque réunis au sein de leur association le 21 septembre », reprend ces principaux arguments. Elle vaut d'être citée *in extenso* : « *Les maires de la Côte basque adressent à nouveau au marquis de Cuevas au nom des populations de la Côte basque leurs plus chaleureuses félicitations pour avoir mené à une parfaite réussite malgré d'innombrables difficultés la fête champêtre de Chiberta du 1ᵉʳ septembre.*

« *Le remercient d'avoir répondu à leur appel en choisissant notre région pour y donner cette brillante manifestation d'art, de goût et d'élégance, et en persévérant dans sa décision malgré les pressions dont il a été l'objet.*

« *Soulignent l'intérêt qu'elle a présenté sur deux plans essentiels : en premier lieu, grâce à la qualité des invités, à leur impeccable tenue, au caractère éminemment artistique de l'ensemble du spectacle, le prestige de la Côte basque en tant que région du tourisme en a encore été rehaussé pour le présent et pour l'avenir.*

Le marquis de Cuevas

« *En second lieu, la population laborieuse appartenant à de nombreux corps de métiers, occupant des milliers de travailleurs, a largement bénéficié du plein emploi, au moment où la saison touristique venait d'être gravement atteinte par les grèves ; elle a d'ailleurs par sa présence et sa correspondance donné de nombreux signes d'approbation.*

« *Ayant la charge de défendre et d'encourager le tourisme qui est l'une des plus importantes industries nationales, assurent de leur fidèle solidarité le marquis de Cuevas qui, par son action, a montré une parfaite compréhension des modes de vie et de travail dans les régions touristiques.* »

Le débat est sans doute éternel… Le marquis n'est pas un philanthrope. Il ne l'a jamais prétendu. Sa passion pour la danse l'a poussé à y consacrer beaucoup d'argent et a fait vivre ainsi pendant quinze ans des dizaines de danseurs et tous les corps de métiers qui gravitent autour des spectacles de danse. Il aurait très bien pu utiliser ces sommes à des fins plus personnelles. Mais son état d'esprit était tout autre : une part importante du patrimoine de sa femme fut vendu pour subvenir aux besoins de la compagnie. Un peu comme celle de Diaghilev, la vie du marquis de Cuevas a toujours tangué entre le luxe et le spectre de la faillite. La politique financière des Cuevas n'est pas orientée vers les acquisitions, quelles qu'elles soient. Un reportage de *Paris-Match* précise même que pour assurer la vie de la compagnie, la marquise a déjà vendu « *l'immeuble du Palais-Royal où habite Colette, deux buildings à New York, une ferme dans le Connecticut et un terrain en Floride…* ». Certes le marquis aime la fête. Mais cette diabolisation n'est-elle pas injuste pour l'un des derniers grands mécènes que le siècle ait connus ? Il en est certainement beaucoup plus profondément blessé qu'il n'y paraît. Le bal de Chiberta ne sauva sans doute pas à lui seul l'économie de toute la Côte basque, mais rendit au moins un élan momentané à la vie touristique de la région. Et puis, cette soirée demeure emblématique dans l'histoire des fêtes de l'après-guerre et symbolique du rayonnement de cette compagnie de danse si exceptionnelle.

5.

La planète *Piège de lumière*

Depuis ses premières semaines d'existence, le Grand Ballet du Marquis crée beaucoup de nouveautés. On y danse naturellement ce que l'on appelle « le répertoire » : *Le Lac des cygnes*, sous une forme réduite, des extraits de *La Belle au bois dormant* puis la version intégrale, *Giselle*, des pièces héritées des ballets russes comme *Les Sylphides* ou *Petrouchka*, du répertoire balanchinien comme *La Somnambule*, ou certaines des œuvres des chorégraphes de l'International Ballet en 1944. Mais à chaque spectacle, au début de chaque saison, de nouveaux ballets sont créés avec succès. La critique se montre parfois plus tatillonne, mais ces perpétuelles découvertes sont partie intégrante de la saga Cuevas. Parmi elles, *Piège de lumière* s'impose d'emblée et demeure symbolique du travail de la compagnie. C'est sans doute, avec *Le prisonnier du Caucase*, le seul « Ballet Cuevas » qui soit vraiment passé à la postérité. Sa création le 23 décembre 1952 est un triomphe. Mais curieusement, le marquis en est presque contrarié.

En 1952, la compagnie existe depuis cinq ans et à Paris comme ailleurs, sa réputation est établie. Le marquis sait que sa force réside d'abord dans la qualité exceptionnelle de ses danseurs et en particulier des solistes américains qu'il a révélés, comme l'étoile Rosella Hightower. C'est pour la mettre en valeur que le marquis souhaite une création majeure : « *Il voulait qu'elle couronne mon travail et ma danse, raconte la grande ballerine. Il m'a annoncé qu'il en demandait la chorégraphie à John Taras, notre maître de ballet, fonction dans laquelle il excellait. Il avait déjà réalisé pour nous quelques pièces mais encore jamais un ballet de cette importance. C'est pourquoi j'étais un peu étonnée, mais le marquis me rassura, me disant sa conviction que Taras était un excellent chorégraphe. Nous avons commencé à travailler et trois jours plus tard, j'ai téléphoné au marquis. En entendant ma voix, il s'est exclamé : "Tu ne vas pas me dire que tu arrêtes les répétitions ! – Bien au contraire ! Je le trouve génial – Je te l'avais bien dit !" J'étais emballée, car tout me semblait beau, le sujet, la musique, les décors, les costumes et la chorégraphie. Je dansais beaucoup le grand répertoire mais une création comme celle-ci était exactement ce dont j'avais besoin à ce moment précis. Elle était stimulante pour moi et j'étais certaine qu'elle le serait aussi pour le public et par conséquent pour toute la compagnie.* »

Le maître d'œuvre du spectacle est donc John Taras. Né en 1919 à New York de parents ukrainiens, il a travaillé avec les meilleurs maîtres comme Fokine, Vilzak ou Schollar, avant de se produire dans diverses compagnies au début des années quarante. Il s'est aussi taillé sa réputation de chorégraphe avec des pièces comme *Designs with Strings*, réglé pour le Metropolitan Ballet de Londres en 1948. C'est d'ailleurs cette année-là qu'il commence à travailler pour le marquis de Cuevas : « *Le marquis de Cuevas a fait appel à moi alors que je voyageais en Scandinavie avec une compagnie, raconte-t-il. J'ai reçu un télégramme me demandant si je serais intéressé par une collaboration avec lui. Je n'avais pas vu récemment la compagnie mais je la connaissais et je connaissais certains de ses principaux danseurs comme Rosella Hightower et*

André Eglevski. Ils étaient en tournée, je crois, en Angleterre, à Oxford, me semble-t-il. Cette proposition m'intéressait et je m'y suis rendu. Ils avaient un maître de ballet, William Dollar, un excellent ami à moi, mais ils ne l'aimaient pas et ils ne voulaient pas le garder. Ils ne le lui avaient pas dit et il était là quand je suis arrivé. J'ai refusé d'être celui qui le pousserait dehors et n'ai accepté de prendre le poste qu'après son départ. Il est parti et j'ai rejoint la compagnie en octobre. Nous sommes allés tout de suite à Monte-Carlo mais je n'ai pas rencontré le marquis avant un certain temps. Nous avons fait une longue tournée en Afrique du Nord, Alger, Tunis, Maroc, Egypte. Je n'ai fait sa connaissance qu'à notre retour à Monte-Carlo. Pour cette tournée, nous avions une invitée de marque en la personne de Tamara Toumanova. J'étais très heureux car j'avais retrouvé beaucoup d'amis dans la compagnie. Je ne parlais pas français, bien que je l'aie étudié en classe, et je m'efforçais d'apprendre en lisant les journaux. Je suis parvenu assez vite à me débrouiller un peu car j'aimais cette langue. C'était nécessaire car, au début, beaucoup de danseurs des Ballets de Monte-Carlo étaient restés. » Le rôle de John Taras devient vite déterminant. Après l'échec de la tournée à New York, le marquis songe à dissoudre la compagnie en ne gardant que quelques danseurs. Taras lui propose au contraire de la réorganiser en recrutant de nouveaux éléments et un comptable. Mais les finances sont au plus bas, et c'est alors que les artistes doivent renoncer à leur salaire fixe permanent. « *Nous sommes donc repartis sur ces bases et nous avons eu tout de suite un contrat à Cannes pour la saison de printemps. Nous avons repris plusieurs programmes et nous avons eu beaucoup de succès parce tout était beaucoup mieux dansé. On décida alors d'aller à Paris, à l'Empire, et ce fut encore un grand succès. Le répertoire s'améliorait, tout comme le niveau de la compagnie. Notre implantation dans la société et dans le monde de la danse internationale remonte à cette époque.* » John Taras reste maître de ballet et chorégraphe dans la compagnie jusqu'en 1953, puis de 1955 à 1958. Il sera ensuite jusqu'en 1983 assistant de George Balanchine au New York City Ballet. Occasionnellement, il exerce aussi les fonctions de maître de ballet à l'Opéra de Paris et à l'Opéra de Berlin et il devient à partir de 1984 directeur adjoint de l'American Ballet Theatre, tout en poursuivant l'enseignement auquel il tient beaucoup. En songeant à lui pour *Piège de lumière* en 1952, le marquis a donc pressenti la forte personnalité du chorégraphe.

Le livret de la nouvelle création est commandé à Philippe Hériat, de l'Académie Goncourt. Pour la musique, Taras songe tout de suite à Jean-Michel Damase, si actif au sein de la compagnie : « *J'étais très heureux de faire un grand ballet*, se souvient Damase, *mais l'argument écrit par Philippe Hériat racontait une histoire sans tenir compte des exigences d'un livret de ballet. C'est donc moi qui ai mis en forme son texte selon les lois du genre. Il voulait l'appeler "Les crépusculaires". Je lui ai conseillé de trouver un autre titre. Il a trouvé* Piège de lumière. *C'était parfait.* » Quelle belle aventure que celle de Jean-Michel Damase et de la danse ! Prix de piano du Conservatoire National Supérieur de Paris en 1943, le « petit Damase » est réputé pour ses qualités de musicien non seulement excellent mais très habile. C'est sans doute pourquoi Irène Lidova, qui lance en 1944 les Soirées de la Danse au Théâtre Sarah-Bernhardt où Roland Petit et Janine Charrat font leurs premières armes de chorégraphes, songe à lui : « *Roland Petit, qui avait tout juste vingt ans, venait de renvoyer la pianiste en disant : "Je ne veux pas travailler avec cette punaise." C'est moi qui ai remplacé la punaise !* » Il découvre la danse avec passion, part pour Rome où il obtient le très envié Grand Prix de musique en 1947 et continue à collaborer avec Roland Petit aux Ballets des

Champs-Elysées. Pour des arrangements, tout d'abord, puis pour de vraies partitions. En 1950, *La croqueuse de diamants* le rend célèbre et marque l'entrée de Zizi Jeanmaire dans l'univers de la chanson. Roland Petit veut déjà lui commander la partition d'un autre grand ballet, *Le Loup*. Au même moment arrive un SOS de la compagnie de Cuevas : il faut quelqu'un pour jouer dans trois jours le concerto pour piano et orchestre en fa mineur de Chopin, musique du ballet *Constantia*. Jean Laforge, pianiste de la compagnie, a songé à Damase puisqu'il connaît bien le monde du ballet. Damase a travaillé le premier mouvement du concerto. La perspective d'approcher le Grand Ballet du Marquis de Cuevas, si célèbre depuis son passage à l'Alhambra en 1947, le stimule. Il apprend les deux autres mouvements en deux jours et se retrouve dans la fosse pour *Constantia*. Il passe ainsi plusieurs mois comme soliste d'orchestre, mais sans jamais rencontrer le marquis. Et puis, un jour : « *John Taras était un très bon maître de ballet, très courtois, mais très froid. Avec un flegme absolu il m'a dit que le marquis souhaitait me voir, car il avait quelque chose à me proposer. J'ai pensé qu'il s'agissait une fois encore d'accommoder une partition pour la danse. Le marquis m'a reçu, comme il le faisait, couché et très affable : "Il paraît que tu fais de la très jolie musique. J'ai un ballet à te proposer..." Taras qui connaissait le travail que je réalisais pour Roland Petit lui avait soufflé mon nom... Roland a été furieux. Il m'a retiré* Le Loup *et l'a donné à Henri Dutilleux... Mais j'ai quand même fait pour lui l'année suivante* Lady in the Ice, *mis en scène par Orson Welles et dansé par Colette Marchand! Je me suis mis au travail sur la musique de* Piège de lumière *et quand j'ai eu fini, j'ai joué la partition au piano à Taras. Il m'a dit qu'il pensait que ça allait et m'a demandé si je pouvais l'enregistrer. Ce serait plus facile de travailler sur bande pour avoir toujours le même tempo. Je l'ai fait et je n'ai plus entendu parler de rien. Je n'ai pas été invité aux répétitions et je n'ai vu le ballet qu'à la première, entièrement monté, mais sans qu'une note ait été changée dans la partition, ce qui est très rare !* »

Avec ce succès, commence entre Damase et la compagnie une longue collaboration qui ne s'achève qu'en 1960, au moment de *La Belle au bois dormant*. De pianiste de fosse, Damase est alors devenu compositeur – il a composé la musique de plusieurs autres ballets pour la compagnie – mais aussi chef d'orchestre : « *Les chefs d'orchestre de la compagnie étaient Gustave Cloez et André Girard. Mais un beau jour, il y eut à la fois beaucoup de spectacles à assurer et incompatibilité avec l'emploi du temps de ces chefs à l'extérieur. Le marquis m'a appelé pour me faire l'une des scènes merveilleuses que l'on adorait et grâce auxquelles il obtenait tout ce qu'il voulait : "Tu es la musique ! Viens nous sauver ! Sans toi nous sommes perdus. Tu dois diriger l'orchestre pour les deux derniers spectacles à Toulouse !" Je ne l'avais jamais fait, mais il a tellement insisté que j'ai accepté. Les orchestres français peuvent être aussi odieux que charmants. J'avais beaucoup d'amis dans celui du Capitole et ils ont compris que j'étais là pour sauver la situation. Ça a donc marché. Mais à cause de cela, il a ensuite fallu que je dirige le deuxième acte du* Lac des cygnes *au Liceo de Barcelone, avec Rosella Hightower qui faisait sa rentrée des Etats-Unis avec un nouveau partenaire. C'était beaucoup pour un débutant et j'étais terrorisé. Je lui ai fait part de mes inquiétudes. Elle s'est comportée en très grande dame et en grande artiste : "Je sais que c'est la première fois pour toi, mais moi, je l'ai fait souvent, et avec beaucoup de chefs différents. Alors, ne t'inquiète pas. Ne t'occupe pas de moi, ne me regarde pas, je m'arrangerai." Tout s'est si bien passé grâce à elle que je suis resté second chef pour toute la tournée d'Espagne et avec la compagnie pendant bien des années ! Quand j'ai su en 1960 que l'on ne donnerait que* La Belle au bois dormant *à tous les programmes, je suis parti. Ce qui m'amusait, c'était la variété de la musique que j'avais à préparer et à diriger. Faire la même partition tous les soirs ne m'intéressait pas du tout.* » La carrière de Jean-Michel Damase se poursuit aujourd'hui avec autant de succès dans tous les domaines de la composition, notamment de la musique lyrique, de la musique de chambre et de l'enseignement.

Le chorégraphe et le compositeur choisis, il faut achever de constituer l'équipe du projet. Pour le décor, le marquis songe d'abord à la célèbre Gontcharova qui s'est illustrée avec les Ballets Russes de Diaghilev. Malheureusement, son univers esthétique, si riche et imaginatif, ne convient guère à l'esprit du ballet. Le marquis commande alors des maquettes à André Delfau qui a réalisé de très beaux décors pour *La Somnambule*. Mais leur style est trop décoratif et précieux, John Taras se tourne alors vers Félix Labisse que Cecil Beaton lui a présenté. C'est une réussite totale. Reste le problème des costumes : Taras les commande à André Levasseur, styliste chez Dior. Le cinéaste et metteur en scène Pierre Jourdan, actuel directeur du Théâtre Français de la Musique au Théâtre Impérial de Compiègne, est un ami commun aux deux hommes. Il présente Levasseur à Taras : « *Celui-ci me dit de réaliser des maquettes en me demandant de ne pas me vexer car il ne les prendra que si elle lui plaisent*, raconte André Levasseur. *Elles lui ont plu.* » Levasseur a en effet imaginé d'incroyables costumes d'un raffinement extrême pour suggérer les couleurs et la légèreté des papillons héros de ce drame peu ordinaire. L'Iphias dansé par Golovine porte un vêtement blanc parsemé d'or et la grande Morphide qu'incarne Hightower, un manteau transparent aux reflets d'arc-en-ciel sur un corselet bleu acier qui suscitent l'admiration générale. Les papillons portent en outre des masques réalisés par Marie Mototkoff.

133

Philippe Hériat garde lui aussi un excellent souvenir de la genèse du ballet : « *Un après-midi, je reçois la visite de Jean-Michel Damase et de John Taras qui me disent : "Nous sommes chargés de préparer votre ballet." De ce jour, le marquis a mis son point d'honneur à ne plus s'en mêler. Nous avons composé l'équipe. Taras a proposé Rosella Hightower et Serge Golovine qui étaient ceux que j'avais eus en tête mais sans oser les espérer comme interprètes. Wladimir Skouratoff est venu compléter le trio et le marquis a laissé les répétitions se dérouler sans y intervenir le moins du monde. Il a vu le ballet en même temps que le public. Le succès de cette réalisation a créé entre lui et moi une véritable amitié. Cependant je ne faisais pas partie de son cercle immédiat. Le personnage était complexe, contradictoire, et même, on peut bien le dire, baroque. J'étais plus sensible à sa personnalité moins publique. J'ai pu m'apercevoir par exemple que sous son masque c'était un homme au fond solitaire, insatisfait, et plein d'humanité car il était la bonté même.* »

Piège de lumière est une étrange histoire dont les héros sont à la fois des humains et des papillons. Des bagnards évadés sont réfugiés dans une forêt tropicale, vivant des produits de leur chasse qu'ils revendent à la ville voisine, notamment de splendides papillons qu'ils prennent chaque nuit au piège de lumière qu'ils installent au cœur de la forêt. Arrive un jeune bagnard nouvellement échappé qui se joint au groupe. La nuit venue, les féeriques créatures ailées se précipitent dans le piège lumineux. Parmi elles, un couple surpasse les autres en beauté : l'Iphias et la Morphide. Le nouvel évadé capture la Morphide. L'Iphias lutte pour la sauver, la libère, et meurt à sa place. Le jeune bagnard reste seul, songeur, couvert du pollen argenté laissé par la Morphide. N'est-il pas déjà aussi plus papillon qu'être humain, prêt à suivre la splendide créature qu'il a laissé s'échapper ?

Sur ce bel argument, Damase compose une musique colorée, subtile, très bien orchestrée et parfaitement conçue pour la danse. La chorégraphie de Taras est brillante, très technique, mettant en valeur les qualités remarquables de Rosella Hightower, de Serge Golovine qui danse le bel Iphias et de l'athlétique et sensuel Wladimir Skouratoff qui interprète le jeune bagnard. Le succès public est immédiat et la critique, à l'exception de Dinah Maggie dans *Combat*, se félicite d'une si belle réussite en tous domaines. Devant un tel succès le marquis devrait se montrer aussi enthousiaste que pour les autres triomphes de sa compagnie. Or il n'en est rien ! Il n'a même pas voulu organiser pour la création du ballet l'une des grandes premières dont il a le secret. C'est donc Christian Dior qui a invité ses amis du Tout-Paris pour donner à la soirée un air de fête. Il a en outre assuré le succès du ballet par la presse. John Taras et André Levasseur voient deux raisons à la bouderie de Cuevas. Selon Taras, le marquis est mécontent qu'il n'ait fait appel à aucun de ses proches pour la réalisation du ballet : « *Malgré le succès remporté à l'Empire dès le premier soir, il n'est venu le voir que plus tard. Ce fut le début d'un certain malentendu entre nous. Le temps a confirmé ce succès puisque je l'ai remonté ensuite au Ballet du Nord qui l'a dansé à la Biennale de Lyon, à Genève, au New York City Ballet et dans d'autres compagnies encore.* » Pour André Levasseur, la rancœur du marquis venait aussi de l'échec de *L'Aigrette*, dont il avait demandé le livret à sa grande amie la princesse Bibesco et la musique au prince Chavchavadze, et autour de laquelle il avait fait beaucoup de publicité. Le succès de *Piège de lumière*, dont la réalisation lui avait échappé, le contrarie donc. Caprice sans grande conséquence de la part d'un mécène aussi enthousiaste et généreux, dont souffre alors la création aujourd'hui perçue comme la plus réussie de toute l'aventure de la compagnie…

6.

Les amants de Vérone sur le pavé parisien

Roméo et Juliette dans la cour carrée du Louvre : c'est la nouvelle trouvaille du marquis, en 1955, pour faire parler de la compagnie. Gabriel Dussurget, fondateur et directeur du Festival d'Art Lyrique d'Aix-en-Provence, va l'y aider. Quelques années plus tard, le Ballet de l'Opéra reprendra cette idée. En juin, à plusieurs reprises, il donnera dans ce cadre historique de grandes productions du *Lac des cygnes*, de *Spartacus* du Russe Grigorovitch. Mais après un *Lac* dansé en collants et guêtres à cause du froid, l'Opéra renoncera à ces saisons de plein air. Le marquis, quant à lui, ne serait pas lui-même s'il envisageait que le ciel puisse ne pas être avec lui, comme à Chiberta. Et quoi de plus excitant qu'une grande première réunissant le Tout-Paris, désormais habitué de ses spectacles, dans un lieu aussi royal ? Le projet est coûteux, mais on sait par avance que le public peut venir en masse. L'après-midi qui précède la première, le marquis reçoit journalistes et photographes quai Voltaire, dans son lit comme d'habitude, très absorbé par une tâche de première urgence : il coud tranquillement lui-même ses décorations sur son habit. Mais dès qu'on lui parle de *Roméo et Juliette*, il s'emballe sur Shakespeare et sur Berlioz, déborde de passion, d'enthousiasme pour la réu-

137

nion de ces deux génies : « *Venez ce soir ! Les mots ne suffisent pas à décrire ça.* »

La disposition de la cour carrée du Louvre en fait le lieu idéal pour installer un théâtre éphémère. Ses issues multiples fournissent de parfaits accès au public et aux artistes. Le dispositif scénique conçu par François Garreau est monté contre le Pavillon de l'Horloge. Des ifs, quelques marches noires et trois scènes superposées reliées par des escaliers et montant jusqu'à l'étage noble dont une baie fournit un balcon idéal pour Juliette… C'est assez pour qu'on se croie à Vérone. C'est à Jean-Pierre Grenier qu'échoit la tâche de mettre en scène la foule des interprètes, danseurs, chanteurs, figurants impliqués dans un spectacle de cette importance. Pour la chorégraphie, le marquis fait appel à trois de ses principaux collaborateurs qui se partagent les huit tableaux, Wladimir Skouratoff, George Skibine et John Taras. Les décors et les costumes sont de Léonor Fini, empruntés à un film qu'elle venait de faire. La pratique n'est pas nouvelle. Pour la création du *Jeune homme et la mort*, Roland Petit a aussi utilisé un décor de Wakevitch pour un film tout juste terminé. Pour le *Divertissement de la reine Mab*, par esprit d'économie, on décide d'utiliser des costumes ayant servi à d'autres ballets. Mais l'effet est catastrophique : changement de cap, on en confectionne de nouveaux. Qui va pouvoir les dessiner et les réaliser dans le court délai de trois semaines séparant alors de la première ? Chargé de la chorégraphie du divertissement, John Taras se tourne à nouveau vers André Levasseur. Ce dernier se lance alors dans une petite épopée qu'il raconte avec humour : « *Nous avions travaillé dans la hâte, mais malgré les efforts de tous, le jour de la première, les costumes n'étaient pas prêts. Le marquis téléphonait sans cesse pour savoir où on en était. Nous avons fini par couper les téléphones, sans quoi la partie était perdue. On a commencé le spectacle et les costumes n'étaient pas là. C'était Helzapopin. Il y avait une trentaine de danseurs. J'avais fait des costumes sur des bases de collants, car nous n'avions bien sûr pas le temps de réaliser des costumes très élaborés. Sur ces collants, on rajoutait des manches, des cols, des hauts de corsage ou de pourpoint, avec des masques et des coiffures. Quand nous sommes arrivés enfin avec les panières, il ne restait que quelques minutes avant l'entrée en scène du divertissement. Tout le monde s'est précipité pour reconstituer son costume. Solange Golovine a poussé un grand cri : elle découvrait que les collants étaient noirs. Elle ne le savait pas et elle avait préparé des chaussons roses. En trois secondes, avec n'importe quoi, peut-être du cirage, on les a teints en noir. Tout le monde courait comme des lapins dans cet espace bizarre et assez obscur sous les praticables ! Soudain, alors que tout le monde était prêt, Marie, la couturière, s'est retrouvée avec une garniture de corsage et une paire de manches ! Panique : "Mais je vous assure que je n'en ai pas fait en plus ! Quelqu'un n'est qu'à moitié habillé ! Il faut absolument trouver à qui ça manque !" On a trouvé et puis tout le monde est allé en scène à la seconde suivante, faisant des entrées éblouissantes, qui ont été acclamées. Le public n'avait pas la moindre idée de la panique qui avait régné à quelques mètres de lui. Les danseurs n'avaient, et pour cause, jamais répété avec les costumes. Certains costumes les ont surpris. La reine Mab, par exemple, avait deux manches immenses en forme d'ailes, blanc, noir et ocre. Elle ne pouvait pas danser avec. "Mais qu'est-ce que je vais en faire" s'enquit, affolée, Genia Melikova. "Ne t'occupe pas de ça ! Les deux taureaux qui sont derrière toi te les retirent dès que tu es en scène." Elle entrait par une trappe. La trappe montait déjà et on l'entendait dire : "Comment ? Qu'est-ce que vous dites ? Je n'ai rien compris ! – Tais-toi ! T'inquiète et danse !" Je n'ai jamais connu une ambiance pareille. »*

Comme avant chaque « événement Cuevas », les jours précédant le spectacle, la presse s'est délectée de rumeurs de toutes sortes. Cette vaste manifestation se réalise avec le Comité des Fêtes de Paris et naturellement la collaboration de la préfecture de Police. Les quatre cents costumes du spectacle sont réalisés dans la salle de gymnastique du ministère des Finances, ce qui semble logique. Non moins logique alors, la demande faite au marquis, par un fonctionnaire dudit ministère, de venir faire sa gymnastique salle Pleyel, dans la salle de répétition de la compagnie !

Quand la nuit se décide enfin à tomber sur Paris en ce soir du 29 juin parmi les quelque dix mille spectateurs rassemblés dans la cour carrée, sont présents ceux que les photographes mitraillent, que les badauds aiment tant voir descendre de leurs voitures de luxe, décrits par les chroniqueurs, comme Jacqueline Cartier : « *La nuit n'était pas au rendez-vous du marquis de Cuevas dans la cour carrée du Louvre. Elle se fit attendre une bonne demi-heure par le parterre choisi où l'ex-roi Farouk, en smoking blanc, accompagné d'une jeune beauté dorée sur tranches, voisinait avec Cécile Sorel dont les cheveux étaient poudrés comme sous Louis XV, mais dont la taille exquise ne datait pas plus de 1900. M. Chaban-Delmas précédait de peu le général Ganeval représentant l'Elysée. La marquise de Cuevas honorait le premier rang de son étrange et sombre présence. La princesse Bibesco lançait à la fois le feu de ses diamants et de son esprit. MM. Haag et Dubois se partageaient les saluts dignes des préfets. Denise Bourdet osait un décolleté, Yvonne de Brémond d'Ars figurait le Faubourg Saint-Honoré et Claude Terrail représentait la rive gauche. M. Denys Cochin, président du Comité des fêtes de Paris, avouait que l'idée de cette fête est née de lettres de Parisiens le suppliant d'utiliser Paris et ses merveilles, la cour carrée du Louvre entre autres : "On m'a proposé des farandoles autour de l'obélisque, mais c'est moins sérieux."... Ils s'inquiétait du service de sécurité, car pour le tableau de la scène chez les*

Capulet faisaient irruption, du premier étage du Louvre même, des porteurs de flambeaux ayant donné quelque angoisse aux répétitions à M. Georges Salle, directeur des Musées nationaux. Une voiture de pompiers accueillait dès l'entrée les invités côté cour (c'est-à-dire côté Seine), mais il n'y eut comme flamme que le manteau rouge et léger de Françoise Arnoult et, dans la salle, sur le triple plateau conçu par François Ganeau, les robes des Capulet... » Quant à Léonor Fini, elle trône dans un manteau de velours vert qui semble emprunté à l'une de ses toiles ! Le marquis de Cuevas a une fois encore réuni autour de lui cette population éclectique dont il est le gourou sans rival. Souverains en exil, stars de cinéma, altesses royales, personnalités officielles de la République cohabitent avec monsieur tout le monde, impatient que tout cette belle assemblée prenne place et que le spectacle commence...

Au-delà de l'événement mondain, Paris découvre une partition de Berlioz alors à peu près oubliée, comme d'ailleurs la majeure partie de l'œuvre du compositeur. N'oublions pas que ce sont les Anglais qui ont rendu sa place à Berlioz dans le répertoire, par l'action de chefs comme sir Colin Davis. Dans les années cinquante, en France, il est encore de bon ton de souligner plutôt les faiblesses du compositeur que son génie. Dans la presse, seuls de vrais critiques musicologues comme Jacques Bourgeois ou Claude Rostand ont conscience de l'importance de cette création. Claude Rostand dénonce ouvertement le snobisme antiberliozien des Français, mal à peine guéri aujourd'hui : « *Il est difficile de combattre et surtout de vaincre le microbe antiberliozien qui ronge sournoisement un petit coin de cervelle de la plupart des musiciens français qui ont bon goût. Il est entendu que l'on ne peut dire ouvertement du mal de celui qui est notre seul musicien romantique, d'autant plus que l'étranger nous l'a soufflé depuis longtemps et lui a toujours fait un succès qu'il n'a jamais trouvé dans son pays. En petit comité, on se laisse plus facilement aller : ce grand révolutionnaire chez qu'il y a beaucoup de pompiérisme meyerbeerien – alors qu'il s'usa à combattre le pompiérisme et le meyeerberisme – il n'est guère permis de l'admirer que sur le plan théorique. Mais quant à l'écouter avec plaisir, ah ! non ! c'est vraiment trop laid. Cela c'est le point de vue des esthètes. Le point de vue des pompiers est tout différent... Ils n'admirent pas la qualité, la rareté éblouissante de certains détails, mais se font volontiers les complices d'une certaine forme facile de grossièreté d'orphéon qui se trouve aussi dans la musique de Berlioz. C'est ainsi qu'a fini par se créer, avec un peu de raison et beaucoup de tort, une sorte de snobisme dont la conséquence pratique la plus immédiate est que, depuis fort longtemps, on ne joue pour ainsi dire plus cette musique, en dehors d'un ou deux morceaux de bravoure. »*

En exhumant *Roméo et Juliette*, le marquis de Cuevas fait donc preuve non seulement de courage, mais d'une sorte de goût prémonitoire. En outre, les excès musicaux du langage berliozien plaisent sûrement à une nature aussi expansive que celle du marquis. Jacques Bourgeois ne manque pas de souligner l'importance de l'événement lorsqu'il écrit : « *Le principal mérite de la représentation du Ballet du Marquis de Cuevas dans la cour intérieure de l'ancien Louvre fut de nous rendre enfin cette Symphonie dramatique de Berlioz qui passe dans le monde entier pour le chef-d'œuvre de la musique romantique française et n'est que trop peu connue ici malgré l'enregistrement superbe publié, il y a un an, par La Voix de son Maître sous la direction de Charles Munch... L'ensemble est un chef-d'œuvre où la virtuosité le dispute à la profondeur...* » Pour être à la hauteur de l'occasion, le marquis n'a pas lésiné sur les moyens musicaux. Il a fait appel à l'Orchestre Colonne, à cette époque encore l'une des meilleures formations françaises, et à Jean Martinon, l'un des plus grands chefs français du siècle, spécialiste de ce répertoire. Michel Roux, de l'Opéra, prête sa voix à Frère Laurent et le chœur, sans doute la partie la plus faible de l'ensemble, est assuré par la chorale Jean Giton. Malheureusement, l'acoustique de la cour carrée du Louvre n'a rien à voir avec celle du lieu où la partition fut créée, la merveilleuse salle en bois de l'Ancien Conservatoire, petite et à l'acoustique parfaite. C'est là aussi que résonna pour la première fois la *Symphonie fantastique* et que de grands pianistes romantiques comme Chopin ou Liszt se firent entendre. En raison de sa petite taille et de sa fragilité, elle n'est plus que rarement vouée à la musique. La plupart des critiques musicaux se plaignent de l'acoustique médiocre, en raison d'effectifs insuffisants et d'une sonorisation mal équilibrée. A l'exception de Georges Hirsch dans un article publié en miroir face à celui de Claude Rostand, qui considère que la partition de Berlioz se prête mal à la danse, les louanges sur la qualité du spectacle et des danseurs sont unanimes.

Œuvre de plusieurs créateurs, la chorégraphie frappe néanmoins par son homogénéité. Skouratoff, Skibine et Taras pratiquent un style classique sobre et ne cherchent nullement à révolutionner l'art du langage de la danse. Tous trois connaissent en outre fort bien les possibilités de la compagnie et de ses solistes, ce qui leur permet de bâtir leur travail sur la personnalité de chacun. Serge Golovine a réglé lui-même sa propre variation. Pour montrer à la fois l'aspect charnel de l'amour des héros et l'écho de cette passion sur leur âme – à vrai dire pour occuper aussi davantage d'espace sur la triple scène... – les rôles de Juliette et de Roméo sont dédoublés. Marjorie Tallchief est la Juliette bien vivante et Yvonne Meyer l'image de son âme. George Skibine et George Zoritch tiennent respectivement les mêmes rôles pour Roméo. Une seule reine Mab, en revanche, en la personne de Genia Melikova. Les entrées, décorées si hâtivement par André Levasseur, triomphent, tout comme l'ensemble du spectacle. Et le marquis de déclarer : « *Dommage qu'il n'y ait pas eu de rideau, sinon, nous aurions fait dix rappels* ! » Chroniqueurs et presse spécialisée ne tarissent pas d'éloge sur la splendeur du spectacle. « *Ce fut une soirée inoubliable, au cœur même du Vieux Louvre, dans cette cour carrée qui nous enchante toujours par ses proportions harmonieuses et devant les hauts-reliefs allégoriques sculptés par Jean Goujon. C'était un spectacle complet que nous offrait le marquis de Cuevas : mélange de musique, de chant, de danse, de couleurs et de lumières dans un cadre qui est peut-être le plus beau du monde mais que les Parisiens semblaient découvrir pour la première fois sous la baguette magique du marquis un peu fée* », écrit Jean Laurent, tandis que Jacques Robert évoque « *les brises de la Seine, venues en voisines. Comme il jouait bien, cette nuit-là, le vent d'Ile-de-France ! Comme il s'engouffrait voluptueusement dans les voiles de Juliette, nous découvrant ses jambes, quelquefois très haut, impudeur qui n'était imputable qu'aux caprices de la nuit* ». Tous partagent l'impression d'avoir vécu un moment de charme et d'exception comme sait les imaginer ce magicien de marquis. Citons encore André Fraigneau écrivant : « *La réussite est complète, évidente. Aucune erreur de proportion. Nulle faute de goût. Aucune défaillance technique.* » Et peut-être la princesse Bibesco dans l'un de ses grands élans d'enthousiasme a-t-elle le mot de la fin : « *Par les fenêtres de l'étage noble, ce soir, les Valois ont fait une apparition fantasmagorique. Corselets d'or, pourpoints couleur de sang furent exacts au rendez-vous. Songe d'une nuit d'été qui revivait sur les grands escaliers du décor. On eût dit que le Louvre se délivrait de ses hôtes, comme une grenade qui s'ouvre et répand son trésor !* »

Les cinq représentations sont combles, et l'une d'elles est offerte gratuitement aux Parisiens. Une nouveauté absolue en France, proclamée royalement par le marquis : « *Ce soir, j'invite le peuple de Paris !* » Et comme d'habitude, le tout se solde par un important déficit, malgré l'aide de la Ville de Paris… Plus qu'un grand ballet dont d'autres compagnies auraient pu par la suite vouloir remonter la chorégraphie, ce *Roméo et Juliette* est resté un spectacle magique, lié à l'une de ces nuits de fête grisantes que l'on peut vivre aussi lors de certains festivals d'été.

7.

Le duel

Dans les annales de l'histoire artistique, le duel qui oppose en 1958 le marquis de Cuevas à Serge Lifar reste un événement inattendu, loufoque et magistralement médiatisé. L'intérêt qu'il suscite, sa couverture médiatique, la passion qu'affichent les uns et les autres, tout cela peut surprendre aujourd'hui, bien que les médias privilégient encore volontiers le scandale à tout autre type d'information. 1958 est une année clé dans le domaine politique mondial. En France, la Ve République voit le jour sous la houlette du général de Gaulle, qui entre à l'Elysée le 21 décembre. Aux Etats-Unis, la Cour Suprême abroge la ségrégation raciale le 29 septembre. C'est aussi l'année de la mort de Pie XII, auquel succède Jean XXIII, fait qui va bouleverser l'évolution de l'Eglise catholique.

Ces événements marquent la fin d'une époque et annoncent les orientations de la fin du siècle. Une partie du reliquat du XIXe siècle est abandonnée. En France, on espère mettre fin à la stérile politique des partis qui rend le pays ingouvernable et sonne le glas de la IVe République, prise dans les douloureux soubresauts politiques et sociaux de la guerre d'Algérie. Aux Etats-Unis, les conflits raciaux sont tout aussi dramatiques. En 1958, un pas est franchi. Une machine égalitaire irréversible est mise en route. A Rome, l'Eglise impérieuse et triomphante qui, drapée dans sa pompe ancestrale et sa raideur historique, condamnait encore en 1953 le bal de Chiberta aussi bien que les prêtres ouvriers élit un pape réformateur voire révolutionnaire en croyant jouer la transition. Comment ne pas s'étonner que dans un contexte international aussi grave, le duel d'un directeur de ballet et d'un danseur puisse à ce point galvaniser l'attention générale ? C'est le « phénomène Cuevas » : l'incroyable marquis, secondé de main de maître par sa garde rapprochée, a su atteindre la notoriété. 1958 est l'année du grand scandale de Maria Callas à l'Opéra de Rome. Aussi célèbre pour son immense talent que pour sa spectaculaire cure d'amaigrissement et ses exigences de grande professionnelle, Maria Callas défraye la chronique en interrompant une représentation de *Norma* de Bellini à l'Opéra de Rome en présence du président de la République italienne. Caprice ? Première abdication d'une voix qui commence à l'abandonner ? Coup médiatique ? Nul ne le sait vraiment. Quelques mois plus tard, le 19 décembre, la Callas foule pour la première fois la scène du Palais Garnier pour une soirée historique où elle chante des airs d'opéra et le deuxième acte de *La Tosca* de Puccini devant la salle la plus brillante de l'année. C'est le gala de la Légion d'honneur, présidé par René Coty. Il y assume l'une de ses ultimes représentations officielles puisque le général de Gaulle est élu président deux jours après. Gardes républicains en grand uniforme sur l'escalier de l'Opéra, décoration florale inégalable et assistance regroupant le Tout-Paris dont les stars de cinéma les plus en vogue, de Brigitte Bardot à Martine Carol. L'attention des photographes et des caméras de télévision se porte surtout sur la loge où trône la jeune Farah Dibah. Ses fiançailles avec le Shah d'Iran viennent d'être officialisées, elle est la dernière cible des paparazzi. Le destin artistique de la Callas va vers son déclin. Celui, historique, de la jeune étudiante de l'Ecole nationale d'architecture n'en est qu'à ses premières heures. Il pleut, dehors, mais le Palais Garnier est un havre de confort et de luxe où vibrent en harmonie la senteur des fleurs, l'effervescence des parfums, le scintillement des bijoux – la parure Van Cleef et Arpels de la Callas nécessite un cordon de police –, le frémissement des amples robes de soirée signées des plus grands couturiers, et, bien sûr, la musique. Le marquis de Cuevas peut lancer ses sonores et célèbres « bravo ! ». Plus que jamais célèbre grâce à son duel, il est au zénith de sa popularité.

C'est en effet en début d'année, au mois de mars, que s'est produit « l'incident » entre Serge Lifar et lui. En 1957, le Grand Ballet du Marquis de Cuevas a célébré avec succès son dixième anniversaire à l'Alhambra. Même les quelques journalistes encore sceptiques reconnaissent l'exceptionnelle qualité des spectacles. Quand la compagnie revient à Paris en mars 1958 pour ouvrir sa nouvelle saison, elle a changé de nom. Elle s'appelle désormais International Ballet du Marquis de Cuevas, affichant ainsi une identité américaine plus conforme à son mode de financement. Ce changement est au cœur du différend entre le marquis et Lifar. Après le coup d'éclat du *Roméo et Juliette* dans la cour du Louvre pendant la saison 1955-1956 et les séduisants programmes de la saison 1956-1957, la compagnie était à son apogée. Elle avait parcouru le monde entier. Paris l'attend plus que jamais. Le public n'est pas déçu. La journaliste et grande historienne de la danse Marie-Françoise Christout parle de manière positive des spectacles donnés alors au Théâtre des Champs-Elysées : « *La publicité faite aux événements extra chorégraphiques qui marquèrent l'ouverture de la saison de l'International Ballet du Marquis de Cuevas au Théâtre des*

Champs-Elysées ne devrait pas éclipser ses vrais mérites. La reprise de Noir et Blanc *a permis d'apprécier la compagnie tandis que la création de* l'Amour et son destin *révéla une chorégraphie de Lifar d'une belle qualité lyrique très adaptée à la musique de la* Symphonie pathétique *de Tchaïkovski. Nina Vyroubova s'est montrée sensible et dramatique… Dans une veine toute différente,* Gaîté parisienne *de Léonide Massine a permis à son auteur de donner une étourdissante démonstration d'esprit et de sens théâtral dans le rôle du Brésilien amoureux de la coquine et coquette gantière dansée par Rosella Hightower… Par ailleurs, Rosella Hightower a repris avec autant de succès son rôle dans* Piège de lumière *où il manquait pourtant Golovine et Skouratoff. Dans le Pas d'action de* La Belle au bois dormant, *elle démontra une nouvelle fois sa vivacité et la sûreté de sa technique, tandis que Nina Vyroubova se montrait une fois de plus la plus grande danseuse romantique du moment dans* La Somnambule *de Balanchine et de nouveau dans* Giselle… *Enfin Jacqueline Moreau et Serge Golovine donnent une bonne vision de* Diagramme *de Charrat.* » Avec des programmes aussi éclectiques et une presse aussi flatteuse, le marquis ne peut que se sentir en position de force.

Ce n'est pas le cas de Serge Lifar. Même si ses ennuis de l'immédiat après-guerre sont oubliés, même s'il est l'une des personnalités les plus connues du monde chorégraphique international, sa position à l'Opéra est devenue précaire. Le théâtre vient en effet de vivre l'une de ses fréquentes périodes de troubles : la fin de l'année 1957 a été marquée par une série de grèves, des machinistes et des danseurs, car le ballet est en plein conflit syndical. Les grèves se succèdent jusqu'en février, conduisant à l'interruption des mercredis de la danse, les solistes seuls acceptant d'assurer les spectacles. Les conventions collectives doivent être refaites après un licenciement général. Mais les nouvelles conventions se révèlent ubuesques et bloquent tout fonctionnement efficace du théâtre. Avant la fin de l'année, il va quitter définitivement l'Opéra. Il n'y dansait déjà plus depuis une ultime *Giselle* en 1956.

C'est dans ce contexte que l'« affaire » débute, lors du gala d'ouverture de la saison Cuevas le 21 mars au Théâtre des Champs-Elysées. La salle est de celles qu'aime le marquis, aussi brillante et parisienne que possible, comme toutes ses premières depuis 1947. Ministres, ambassadeurs, altesses royales et milliardaires de tous bords s'y montrent aux photographes et au public payant pour qui ils font quasiment partie du spectacle. Comme d'habitude, la scène et la corbeille sont entièrement fleuries, d'œillets et de mimosas. La veille, pour fêter cette rentrée parisienne, le marquis a réuni aux Caves de la Tour Eiffel ses étoiles, ses solistes, ses collaborateurs et… la presse. Le champagne a coulé à flots. L'intervention discrète de l'Opéra de Paris pour demander l'interdiction de *Noir et Blanc* a-t-elle déjà eu lieu ? La presse en répand la rumeur, ainsi que celle d'une dissension entre les deux hommes. Le programme de ce gala propose en effet, outre *Gaîté parisienne* de Léonide Massine, deux ballets de Serge Lifar, *Noir et Blanc* et *L'Amour et son destin*, sur la *Symphonie pathétique* de Tchaïkovski. Le danseur et chorégraphe yougoslave Dimitri Parlic a collaboré à la chorégraphie de ce dernier ballet qu'interprètent Nina Vyroubova, Genia Melikova et Serge Golovine. Quant à *Noir et Blanc*, ce n'est autre que la *Suite en blanc* du répertoire de l'Opéra que Lifar avait créé en 1944 à l'Opéra et apporté à Monte-Carlo lors de son éphémère passage à la tête de cette compagnie. Le marquis de Cuevas l'a alors acquis avec le reste du répertoire en reprenant les Ballets en 1947.

Au Théâtre des Champs-Elysées, en ce soir du 21 mars 1958, première surprise : le marquis n'est pas dans le hall, comme à l'accoutumée, distribuant généreusement ses célè-bres baisers. Certains le croient en pleine discussion avec la justice car la rumeur d'une interdiction de *Noir et Blanc* par Lifar s'est répandue. On murmure même que Lifar a truffé le théâtre d'huissiers. Il règne dans la salle une atmosphère encore plus fébrile que d'habitude. Les lumières s'éteignent pourtant et l'orchestre joue l'ouverture de *Namouna*, parti-tion de Lalo, sur laquelle est chorégraphié *Suite en Blanc* et donc *Noir et Blanc*. Jusque-là, tout va bien. Mais au lieu de s'ouvrir sur le premier tableau du ballet, le rideau s'écarte très légèrement, et c'est le marquis de Cuevas qui apparaît à l'avant-scène. Assez pâle, mais l'air énergique et déterminé, en habit, arborant toutes ses décorations, il s'avance et déclare d'un air indigné : « *Monsieur le Ministre, Excellences* – étaient notamment présents les ambassadeurs du Dane-mark, d'Espagne, du Chili – *vos Altesses Royales* – la princesse Sixte de Bourbon-Parme et quelques autres… – *Mesdames, Messieurs, on veut interdire* Noir et Blanc. *J'ai reçu du papier timbré. Je passerai outre pour ne pas vous décevoir. Américain, j'appartiens à un pays de liberté, mais ce n'est pas la faute de la France. C'est la faute, peut-être, d'un seul Français.* » La salle bourdonne alors de conversations feutrées, de regards inter-rogatifs échangés d'une rangée à l'autre, d'une loge à l'autre. On se demande qui le marquis désigne par « un seul Fran-çais ». Est-ce Georges Hirsch, l'administrateur de l'Opéra ? Serge Lifar, le chorégraphe du ballet ? La confusion est grande lorsque le rideau se lève enfin sur *Noir et Blanc*. Naturellement, l'attention du public est encore plus ardente. Le ballet prend soudain la dimension d'une œuvre exceptionnelle, dangereuse, presque mythique. Il reçoit un accueil triomphal : pas moins de dix rappels.

L'incident va se dérouler en deux temps. Au cours du premier entracte, d'abord. La lumière revient dans la salle et tous les regards se tournent vers les loges centrales où sont rassemblées les personnalités les plus importantes. Selon *Le Monde* du samedi 22 mars, « *Serge Lifar, qui occupait une loge de corbeille voisine de celle du marquis de Cuevas et ne s'était pas privé d'applaudir* Noir et Blanc, *de concert avec lui, se répandit dans les couloirs, expliquant de sa manière volubile et photogénique les raisons de son opposition. Le marquis vint à passer. Lifar, inadvertance ou intention – laissa tomber son mouchoir. Le marquis, dans un geste d'une vélocité surprenante, presque inaperçu, envoya un soufflet du bout des doigts au danseur. Chacun dans l'effervescence avait regagné la corbeille et ses amis quand le rideau se leva derechef sur* L'Amour et son destin, *deuxième ballet de Lifar et celui-là bien commandé au "choréauteur" et appartenant en toute propriété à la compagnie de Cuevas. Silence. Grande symphonie dansée. Gros succès* ».

C'est alors que se déroule, selon les mêmes témoins, le second acte de l'incident. Son ballet étant très applaudi, Lifar se lève pour saluer généreusement la salle et les amis qui l'entourent. Il se dirige alors vers la loge voisine, où se tient le marquis drapé dans sa cape. Cherche-t-il une réconciliation immédiate dans l'euphorie du succès ? Il s'approche du marquis, lequel le repousse si sèchement que d'aucuns y voient un deuxième soufflet. Ulcéré, Lifar fait alors savoir qu'il enverra ses témoins au marquis dès le lendemain.

Surpris, affolés et certainement ravis, tous vivent « en direct » cet étrange épisode. Pour plus de précision, il suffit de se reporter au récit des protagonistes eux-mêmes sur le disque consacré aux souvenirs du marquis. Ce dernier raconte : « *J'avais acheté plusieurs ballets en même temps que la compagnie de Monte-Carlo. Il y avait* Dramma per Musica, Noir et Blanc, *qui est l'équivalent de* Suite en blanc. *J'ai toujours eu ce ballet dans mon répertoire. Je l'ai beaucoup joué.*

Personne n'a jamais rien dit. Cette fois-ci, M. Lifar a trouvé très élégant de sa part de m'arrêter le dernier jour, quand je n'avais pas d'autre spectacle préparé pour remplacer celui prévu. Alors je suis passé outre et j'ai joué parce que c'est mon droit. Il m'a dit que lui faisais risquer sa position à l'Opéra, alors je lui ai dit le mot de Cambronne. Il m'a jeté sa pochette dans les yeux. Heureusement, elle était propre. Et alors je l'ai ramassée et je lui ai donné une bonne gifle pour son impudence. » De son côté, Serge Lifar affirme : « *Cette déclaration du marquis est exacte, mais il a oublié de dire qu'il a changé le titre de son ballet qui était Grand Ballet du Marquis de Cuevas qui est devenu par un miracle américain et Ballet International du Marquis de Cuevas. Voilà, il y a une petite différence. Quand il m'a dit : "je t'emmerde avec tes avocats et tes interdictions", moi j'ai sorti mon mouchoir et je l'ai fichu dans sa figure. Le marquis, au lieu de m'envoyer ses choses (ses témoins), il m'a fichu une gifle. Sur quoi j'ai dit au marquis : dans ces conditions, demain tu recevras mes témoins.* » Et chacun de renchérir dans l'ironie provocatrice, le marquis en rêvant de choisir le fouet « *pour lui donner une bonne fessée* », Lifar annonçant : « *Je ne veux pas être meurtrier, mais j'espère faire danser au marquis un petit menuet.* »

Et voilà partie cette étonnante machine que rien ne peut plus arrêter et qui, en dépit d'une actualité internationale très lourde en ce début de l'année 1958, va faire la une de tous les journaux pendant une dizaine de jours. Faut-il rappeler que toute cette agitation verbale, physique et médiatique est aussi un formidable coup de publicité ? Mais les différents acteurs tiennent jusqu'au bout leur rôle avec un professionnalisme irréprochable, et la presse, toujours friande de scandales, joue elle aussi le jeu, se contentant d'adopter un ton légèrement ironique, un peu distancié vis-à-vis de ces gens du spectacle : avec eux, on ne sait jamais… Les contemporains de l'incident sont aujourd'hui évasifs ou pratiquent le sourire entendu. Mais, en confidence, certains avouent volontiers que Claude Giraud a bien pu trouver là un procédé fabuleux pour attirer, une fois encore, l'attention universelle sur le marquis et la compagnie. Finalement, n'est-il pas bien plus amusant de croire au conte tel que les faits l'ont écrit ?

Mais alors, pourquoi donc Lifar tente-il cette interdiction de dernière minute ? Pour quelle raison l'Opéra s'alarme-t-il soudain de voir ce ballet dansé chez Cuevas ? Parce que c'est la première fois que la compagnie du marquis le présente à Paris, créant une rivalité plus directe avec celle de l'Opéra ? C'est la seule raison plausible d'une intervention de l'administrateur général par l'intermédiaire de Lifar, lequel, vu sa situation à l'Opéra, n'a pu qu'obtempérer. C'est peu plausible. Malgré les succès remportés par les compagnies itinérantes comme celle du marquis de Cuevas, de Roland Petit, de Janine Charrat notamment, le corps de ballet de l'Opéra demeure une institution vieille de plusieurs siècles, aux structures inébranlables, auréolé d'étoiles comme Yvette Chauviré, Lycette Darsonval, Michel Renault, ou les transfuges de chez Cuevas comme Marjorie Tallchief et George Skibine ; il se situe donc hors de toute concurrence directe, malgré ses dissensions internes. Lifar avance une raison différente, quand il explique avoir bien vendu *Noir et Blanc* au marquis pour la compagnie des Ballets de Monte-Carlo, mais pas à l'International Ballet du Marquis de Cuevas. Sa mauvaise foi est ici évidente et l'argument ne convainc pas, surtout venant d'un créateur dont deux titres figurent au programme de la soirée. Alors, vraie brouille ou comédie ? Dans l'univers théâtral que s'est créé le marquis de Cuevas, avec la personnalité si excessive de Lifar, tout est possible. Une vraie querelle ne peut radicalement être écartée. Quoi qu'il en soit, le coup est magistral !

Dès le lendemain de l'altercation, c'est-à-dire le 22 mars, les témoins sont choisis. Pour le marquis, ce seront le directeur du Théâtre des Champs-Elysées, M. Félix Valoussières et le jeune député… Jean-Marie Le Pen ! De retour d'Indochine, vivant dans la mouvance de la petite cour aristocratique du marquis, il est engagé comme expert en armes. Pour Lifar, les témoins sont deux danseurs de l'Opéra, l'étoile Max Bozzoni et le premier danseur Lucien Duthoit. Bozzoni sera quelques années plus tard le professeur de Patrick Dupond. Comme dans tout duel qui se respecte, la première démarche des témoins de l'offensé est de se rendre au domicile de l'offenseur, à la fois pour demander réparation de l'affront subi et pour tenter d'amorcer une éventuelle réconciliation. Max Bozzoni raconte : « *D'emblée, j'ai essayé au maximum d'arranger les choses. Je savais que dans le monde de la danse, il y a souvent des rivalités, des dissensions. Mais entre artistes, ce ne sont généralement que des passades, des brouilles momentanées. Je travaillais à l'Opéra avec Serge Lifar, mais je connaissais bien le marquis aussi. Je l'estimais pour son action en faveur de la danse et je trouvais toute cette histoire un absurde malentendu. Je voulais donc calmer le jeu. J'ai d'abord tenté de raisonner Lifar, mais il était furieux, criait vengeance et refusait de se calmer. Je me suis donc rendu chez le marquis. Il était couché et malade, au moins théoriquement, puisqu'il recevait toujours dans son lit. Je lui ai dit que j'allais tenter de lui envoyer Lifar, mais qu'il devrait y mettre du sien car il était très excité. J'ai passé une partie de la journée avec lui. Il me tenait la main et ne voulait plus me laisser partir. C'était très touchant. Ma tentative de conciliation a hélas échoué et j'en fus désolé car le marquis était un homme charmant, tout à fait à l'opposé du caractère excessif de Lifar qui se considérait comme le dieu de la danse descendu sur terre et par conséquent au-dessus de tout le monde. Il était toujours comme ça. Je l'estimais vraiment comme chorégraphe et comme danseur, mais je n'aimais pas beaucoup cette mégalomanie permanente qui me paraissait inutile. Il était excessif comme beaucoup de Russes. J'ai retrouvé cela quelques années plus tard avec Noureev, immense danseur, mais plus russe que nature ! Je suis certain que Lifar aimait bien Cuevas avec qui il avait beaucoup collaboré et collaborerait encore, mais il était tellement sûr d'être le seul à détenir la vérité en danse qu'il regardait un peu de haut le travail de la compagnie qui n'avait pas toujours la rigueur de celui de l'Opéra, malgré la présence d'excellents danseurs.* » Cette ultime remarque de Max Bozzoni a son importance, car certains proches du marquis, comme Irène Lidova, pensent que la vraie raison de la querelle était une réflexion de Lifar estimant précisément que son ballet, vu la veille à une répétition, était très mal dansé.

Toujours est-il qu'au soir du samedi 22 mars, les quatre témoins se réunissent chez Félix Valoussières pour entériner le choix des armes. De cette réunion émane un solennel procès-verbal : « *Après avoir enregistré le refus du marquis de Cuevas de présenter à M. Serge Lifar les excuses que celui-ci exigeait, il a été convenu entre les témoins qu'il y avait lieu de demander une réparation par les armes. Les témoins se sont mis d'accord sur le lieu et la date de la rencontre. M. Lifar ayant laissé au marquis de Cuevas, en considération de son âge, le choix de l'arme, celui-ci a déclaré choisir l'épée. Les témoins ont arrêté les modalités de la rencontre.* » *L'Aurore*, dont le reporter semble avoir eu les oreilles très sensibles, ajoute à cette déclaration que « *d'après les bruits de voix parvenant à travers la porte, on pouvait en conclure que le duel aurait lieu à l'épée et s'arrêterait au premier sang. La rencontre se déroulera incessamment dans une propriété privée des environs de Paris, les duellistes s'exposant, on le sait, à des poursuites judiciaires, le duel étant interdit* ».

Dès lors, le scénario, digne d'une énigme policière, suit son cours. Quand aura lieu la rencontre ? Aucune certitude sur le lieu ni la date. Jusqu'à la dernière minute, il semble bien que même les deux protagonistes l'aient ignoré aussi. Pour l'heure, ils en sont à l'entraînement et aux déclarations fanfaronnes à la presse. Une meute épaisse de reporters et de photographes ne lâche plus ceux qui participent de près ou de loin à l'action. Les amis du marquis se disputent le privilège d'accueillir le duel, pour se récuser le moment venu. Les petites phrases fusent dans les journaux : « *Le marquis et Serge Lifar ont-il l'habitude de l'épée ? – Je l'ignore* », répond Valoussières. « Noir et Blanc *reste-t-il à l'affiche ? – Naturellement. Rien de changé.* » Quant au marquis, il provoque : « *Si Lifar ne m'avait jeté son mouchoir, je ne l'aurais pas giflé. Il se prend pour un chevalier du Moyen Age !* » Peut-être se prend-il davantage pour le Lenski d'Eugène Oneguine, se lançant fougueusement dans un duel avec son meilleur ami par dépit amoureux. Mais chez Pouchkine, comme dans la vie réelle du poète, l'arme était le pistolet et la mort au rendez-vous.

Pour l'heure, nous ne sommes pas dans la sauvage Russie romantique mais dans la meilleure société parisienne en plein milieu du XXe siècle. Les escarmouches sont d'abord verbales. Au marquis de Cuevas qui déclare : « *Si je n'avais pas réagi quand Lifar m'a jeté sa pochette, j'aurais eu l'air de quoi ? D'une poule mouillée et même d'une vieille poule mouillée ! Et ne me demandez pas le jour ni le lieu de la rencontre. Tout ce que je sais c'est que mes témoins vont venir me chercher à 5 heures… et que ça m'ennuie de me lever si tôt. Nous nous battrons à l'épée. J'aurais bien choisi le sabre d'abordage, car je n'ai pas de préférence, n'ayant encore jamais joué les bretteurs* », Lifar réplique : « *Je ferai danser le menuet au marquis. Il sera dans ses petits chaussons !* »

Chacun des duellistes a choisi son maître d'armes et s'entraîne consciencieusement. Pour le marquis, c'est M. Carliez qui déclare que son élève l'étonne par la vigueur et l'agilité qu'il montre à soixante-treize ans. Lifar, comme tout danseur et tout acteur, a déjà quelques notions du maniement des épées. Il s'entraîne néanmoins avec maître Lacaze. Le 25 mars, les reporters d'Europe 1 organisent une tentative de réconciliation surprise en convoquant devant leurs micros les deux adversaires à la même heure. On espère qu'ils tomberont dans les bras l'un de l'autre. Echec total ! Aussi furieux que surpris, ils n'échangent que de nouvelles invectives avant de partir en se tournant le dos !

La date du dimanche 30 mars semble de plus en plus probable. Alors on s'interroge plutôt sur le lieu de la rencontre. La propriété d'Arturo Lopez ? Celle de Louise de Vilmorin ? Celle de Carlos de Besteguy, l'homme du bal de Venise, dans le parc de son somptueux château à Montfort-l'Amaury ? *Le Figaro* tente de connaître la botte secrète que prépare le marquis et décrit Lifar s'entraînant en plein air dans les jardins d'Ermenonville. Chaque parole, chaque déplacement des deux adversaires est rapporté par la presse comme s'il s'agissait des destinées du monde, mâtinée, quand même, d'une ironie un peu distanciée. On ricane, mais on suit à la minute l'évolution des événements ! Seul *Paris-Presse*, dans son édition du mercredi 26 mars, joue les sceptiques : « *Ceux qui sont au courant des choses*, écrit Paul Giannoli, *prétendent que l'affaire était montée depuis long-temps. Cette superbe idée ne serait pas venue à l'esprit du plus inventif de nos publicitaires. Tout est magnifiquement orchestré et les adversaires remplissent leurs rôles avec beaucoup de cons-cience.* » C'est perfide, peut-être vrai, mais personne ne reprend ni ne développe l'idée. On veut croire que tout est sincère et fou. Et pour les deux protagonistes, impossible maintenant de faire marche arrière. L'événement a pris trop d'ampleur ! S'ils ont tendu un piège aux media, c'est bien sur eux qu'il s'est refermé.

En attendant, tout doit rester aussi parisien que possible. Le marquis de Cuevas se montre à la première du Théâtre des Nations, accompagné de la cover-girl vedette Marie-Hélène Arnaud. Il en profite pour confier à qui veut l'entendre : « *Chut ! le lieu de la rencontre est secret ! Mais dire que c'est peut-être ce soir ma dernière sortie parisienne !* » Et pourquoi ne pas en rajouter un peu en rappelant toute son estime pour Lifar et en reprenant Néron : « *Quel artiste le monde va perdre !* » Et les rumeurs continuent à courir : Arturo Lopez, furieux que l'on ait divulgué son intention d'accueillir chez lui le duel, renonce. Alors, chez Besteguy à Montfort-l'Amaury ?

La parade de Lifar est tout aussi fastueuse. Il dîne chez Maxims, mime avec des fleurs les estocades qu'il compte porter au marquis et déclare, rayonnant : « *J'ai perdu trois kilos à m'entraîner. Cela m'a fait beaucoup de bien. Au moins ce duel aura déjà servi à quelque chose !* » Au soir du 26 mars, *France-Soir* affirme que les quarante membres de l'Académie française ont offert d'un seul élan leurs épées au danseur. Il n'aurait accepté que celle d'André Maurois, le premier à se présenter. Pour pimenter l'affaire et glisser un frisson de terreur chez ses lecteurs, le même journal publie comme par hasard à côté de l'article consacré à Lifar la dépêche suivante : « *Duel : deux morts à Montevideo. Le colonel Joaquin Villar, de l'armée uruguayenne, a tué à coups de feu M. Ernesto Dodo, secrétaire de la fédération d'escrime, avec lequel il venait de se battre en duel à l'épée. Le colonel Villar s'est rendu en voiture au domicile de son adversaire et a ouvert le feu sur lui et sa femme, qui a été grièvement blessée. Il s'est ensuite fait justice d'une balle dans la tête.* » Songerait-on que le marquis de Cuevas, sud-américain lui aussi, pourrait aller massacrer la famille Lifar dans un geste d'ultime vengeance ou de dépit ? Ce serait trop beau pour la presse. Ne rêvons pas !

Les jours passent, la tension monte, mais toujours entre sérieux et futilité. Si l'on apprend que Lifar a maintenant trois maîtres d'armes, on raconte aussi que Vigorio, le perroquet du marquis, a dit « *merde* » en apprenant que son propriétaire allait se battre… Quant au marquis lui-même, il n'en peut plus de toute cette publicité ! « *Depuis deux jours, c'est une vie infernale ici. Je suis pourchassé par des photographes, des chroniqueurs, des agences de presse…* » Il a reçu trente coups de téléphone de Londres, cinquante de New York, cent de Madrid, deux cent cinquante télégrammes et tant de lettres qu'il a renoncé à les ouvrir, sauf celle de Cléo de Mérode : « *Mon cher et charmant marquis, j'ai appris avec émotion l'aventure de vendredi. Soyez bien sûr que tout le monde vous donne raison et nous sommes de tout cœur avec vous. Ne vous tourmentez surtout pas !* » Agacé mais réconforté par tant de marques de sympathie et de soutien, le marquis se sent plus que jamais sûr de lui et déclare à Jean-Pierre Dorian, chroniqueur du *Figaro* : « *Je lui ferai faire pipi dans sa culotte, tu m'entends, pipi dans sa culotte !* »

Et la marquise dans tout cela ? Sur son attitude, les versions diffèrent. Certains organes de presse affirment qu'elle a envoyé à son époux une série de télégrammes désespérés le suppliant de ne pas se battre. D'autres qu'il n'y eut qu'un télégramme, assez laconique : « *What is this joke ?* » (« Qu'est-ce que c'est que cette blague ? »). Une version sans doute plus conforme au caractère assez réservé d'une marquise au demeurant fort intelligente.

Plus les jours passent plus la horde des journalistes et des paparazzi en tout genre grossit et s'énerve. Au moindre déplacement du marquis ou de Lifar, on crie que « ça y est ».

Et de fait, le grand jour finit bien arriver, le dimanche 30 mars.

« *Le duel Cuevas-Lifar a eu lieu ce matin dans une propriété, près de Vernon. Après avoir égratigné le danseur, le marquis s'est jeté dans ses bras en pleurant.* » Le titre laconique du *Journal du Dimanche* résume en quelques mots une véritable saga médiatique en forme de course-poursuite qui a commencé la veille au soir, ou plutôt aux toutes premières minutes de la journée. C'est à minuit en effet que, pourchassé par ce que *Libération* appelle une « armée motorisée », le marquis a quitté en voiture son domicile du quai Voltaire, en direction de la place Vendôme et du Ritz. Là, préfigurant la ruse d'une autre personnalité pourchassée aussi en pleine nuit mais dont la fin fut dramatique, il entre par la façade du palace, fait trois tours dans les salons pour semer ses poursuivants et sort par la porte de la rue Cambon d'où un taxi le conduit à Boulogne chez son ami José Luis de Villalonga où il a décidé de passer la nuit. Ce n'est que vers six heures du matin que la presse a vent du lieu de sa retraite. Ce répit, le marquis l'a passé à écrire ce qu'il considère comme son testament artistique en cas de malheur, le livret d'un ballet intitulé, naturellement, *Le Duel* et dont, naturellement, Lifar devra régler la chorégraphie. Ce dernier passe simplement la nuit au Crillon.

Dès que le lieu de retraite du marquis est connu, c'est l'assaut. On lit dans *Le Figaro* du 31 mars : « *Mystérieusement prévenus, les premiers reporters arrivent à Boulogne, bientôt suivis par des policiers en civil et en uniforme qui se proposent d'interdire le combat. L'appartement de Villalonga est envahi. Avec un sens assez arbitraire des préséances, on parque les journaux du matin dans le salon, les périodiques dans la cuisine et la radio-télévision dans la chambre des enfants. Le marquis déclare : "Je n'ai pas envie de le tuer. Il n'a pas envie de me tuer non plus… nous devons nous battre pour nous conformer aux bonnes manières.* » A force de considérer cet épisode comme un spectacle joué par des acteurs de génie, n'a-t-on pas oublié la notion de danger, même réduite, inhérente à ce type de rencontre ? On raconte que des journalistes trop enclins à ricaner furent remis à leur place par André Lacaze, alors commandeur de la Légion d'honneur pour faits de guerre dans la Résistance : « *Je ne comprends pas pourquoi tout le monde rit. Ceux qui se moquent sont ceux qui n'ont jamais connu le danger. Ce duel peut paraître ridicule, mais après tout, ce n'est pas drôle de se faire blesser. La plupart de ceux qui ricanent pousseraient des petits cris si on leur faisait une prise de sang.* »

A huit heures arrivent les témoins du marquis. Jean-Marie Le Pen a un bandeau sur l'œil droit. Un journaliste impertinent prétend qu'il cache ainsi un magistral cocard récolté au cours d'une réunion électorale où il a fait le coup de poing avec un contradicteur qui lui aurait lancé : « Si tu perds ton siège, tu pourras toujours te faire engager comme danseuse à l'Opéra ! » Départ sur les chapeaux de roue de la Bentley du marquis toujours suivie de la même meute motorisée, et tous arrivent à Boulogne sur un terrain d'usine désaffectée du quai du Point-du-Jour où l'attendent déjà Lifar et l'un de ses témoins, Max Bozzoni, l'autre ayant dit-on oublié de se réveiller, alors qu'il est chargé d'apporter les épées. Dans le petit matin, le lieu est sinistre : gravats, carcasses rouillées, murs lépreux. Le marquis reste dans sa voiture tandis que Lifar s'impatiente. Mais déjà les portières claquent et toutes les voitures repartent en trombe. Deux récits de ce départ inattendu lui attribuent des raisons sensiblement différentes. Certains journalistes prétendent avoir entendu Le Pen crier : « Plan 7 ! », ce qui désignait l'un des lieux envisagés pour échapper à la police si celle-ci se montrait trop présente. On serait mieux à l'abri dans un parc privé que dans cette usine désaffectée. Le témoignage de José-Luis de Villalonga est assez différent et bien plus drôle : « *J'ai arrêté la voiture après avoir passé une grille… Il y avait déjà Lifar et ses témoins… Cuevas descend et il me dit : "Où sommes-nous ?" Je lui ai dit : "Nous sommes quai du Point-du-Jour et c'est là où tu te bats." Alors, il a regardé autour de lui d'un air extrêmement dégoûté et il est remonté dans la voiture en disant cette phrase extraordinaire : "Je ne veux pas mourir dans ce paysage de merde…"* »

Toujours est-il que s'engage une nouvelle course poursuite sur l'autoroute de l'Ouest. Le point de ralliement est le Moulin du Val, propriété du docteur Levasseur à Blaru, petit village de 415 habitants à quelque 80 kilomètres de Paris. Arrivé le premier, le marquis, pâle et fatigué, demande à s'allonger un peu. Lifar suit bientôt, muni de ce qu'il appelle ses « symboles », une icône, symbole de la foi, une dague, symbole de l'honneur, un chausson de danse, symbole de l'art. Au doigt, pour ne rien laisser au hasard, une bague fétiche ayant appartenu à Catherine de Russie. Le directeur du combat, M. Toulon, champion d'escrime, choisit un espace gazonné bordé d'une rangée de sapins qui le protège d'un côté mais laisse de l'autre un espace idéal pour les journalistes et les photographes. Et même pour quelques automobilistes qui s'arrêtent en voyant cet attroupement non loin de la route. Et le cérémonial peut enfin se dérouler dans les règles. « *Messieurs, il s'agit d'un assaut à l'épée au premier sang* », déclare solennellement Le Pen, avant de rappeler à l'ordre quelques journalistes trop chahuteurs en soulignant que l'un des deux adversaires risque quand même au moins une grave blessure. En pull gris, les manches retroussées, Lifar fait d'ultimes exercices d'assouplissement tandis que le marquis s'approche à son tour, comme à contrecœur. On désinfecte à l'alcool la pointe acérée des épées que l'on vient d'apporter. Le marquis reste très digne, plutôt raide, tenant son épée à bout de bras. Lifar adopte une attitude traditionnellement plus théâtrale, les genoux souples, un bras arrondi au-dessus de la tête, sautillant d'avant en arrière. Et le signal du combat est donné. Le premier assaut dure deux minutes. Les lames se croisent, s'entrechoquent bruyamment, mais personne n'est touché. Le deuxième assaut reprend après une minute de repos. Lifar semble avoir l'avantage, c'est lui qui attaque. Toujours aucune touche. Au troisième assaut, c'est le contraire : le marquis attaque, Lifar recule. Après une nouvelle pose et quelques secondes de consultation entre les témoins, le médecin et le directeur du combat, ce dernier, M. Toulon, annonce que le quatrième sera le dernier assaut en raison de l'âge du marquis. « *Alors*, raconte José Luis de Villalonga, *ayant entendu cette annonce, Cuevas, qui avait le sens du théâtre, nous regarde et dit : "Et bien maintenant, jé vais l'embrocher."* » Sitôt dit, sitôt fait. Cinquante-cinq secondes plus tard la pointe de la lame du marquis effleure l'avant-bras du danseur, lui causant une estafilade de deux ou trois centimètres. Le combat est arrêté. Tandis qu'on s'empresse autour de Lifar et que le médecin lui fait un gros pansement, le marquis reste quelques secondes l'air stupéfait avant de fondre en larmes. Il règne alors une certaine confusion, car selon certains témoins, Lifar se jette tout de suite dans les bras du marquis en s'exclamant : « *Je savais bien que je finirais par t'embrasser* », selon d'autres il bavarde gaiement avec les journalistes avant de rejoindre le marquis qui pleure sur l'épaule d'un ami et de l'embrasser en disant : « *L'honneur est sauf.* » Selon des proches du marquis, ce dernier aurait lui-même déclaré ensuite : « *J'ai touché quelque chose de mou et je me suis évanoui.* »

L'essentiel est effectivement que l'honneur soit sauf, que les deux adversaires soient parvenus au bout de leur défi et que tout se soit terminé par cette réconciliation tant attendue depuis dix jours et si profondément souhaitée par toutes les parties. Les policiers, distancés, voire perdus lors de la course-poursuite sur l'autoroute, ont fini par retrouver la piste de cette peu discrète équipée et dès la fin du combat, le commissaire Petron, de la Sûreté nationale, ainsi que les gendarmes de Bonnières effectuent les constations d'usage pour que le parquet de la Seine décide ultérieurement des poursuites à entreprendre, le duel tombant sous le coup d'une accusation de « tentative d'assassinat mutuel ». Dès le 1er avril, *l'Aurore* titre : « Epilogue du duel Lifar-Cuevas : la police s'en mêle ». Et d'annoncer que le commissaire Petron a établi une procédure de flagrant délit, qu'une audition des deux partenaires et de leurs témoins aura lieu dans les prochains jours, que les dépositions seront remises au juge d'instruction du parquet de Mantes, seul habilité à décider des poursuites, le flagrant délit impliquant d'éventuelles poursuites contre Le Pen sans que soit demandée la levée de son immunité parlementaire. Il ne se passe finalement rien du tout et l'affaire est classée. De toute manière, les lenteurs de la justice n'auraient sûrement pas permis l'ouverture d'un procès avant que le marquis ne tombe si gravement malade : il mourut à peine deux ans et demi plus tard.

Ces rumeurs judiciaires de pure forme n'empêchent pas un climat d'euphorie générale de s'installer dans l'entourage des deux adversaires d'hier. Dès les premiers jours d'avril, le marquis fait savoir qu'il travaille avec passion à l'achèvement du livret de ballet rédigé pendant la nuit précédant le duel. Le titre a changé. Ce sera *De soie et d'acier*, un ballet en trois actes, totalement révolutionnaire tant par son sujet que par sa musique « qui semblera venir d'un autre monde », sa décoration faisant appel à des matériaux nouveaux et bien sûr sa chorégraphie confiée à Serge Lifar. Par la nature autobiographique du sujet, on verra pour la première fois deux hommes danser un pas de deux ! Quelques jours plus tard, à Deauville, le marquis et Lifar déjeunent ensemble pour achever de sceller leur réconciliation. C'est encore la « grande époque de Deauville » ou les milliardaires parvenus et les princes du Moyen-Orient jouent des fortunes au casino, où les stars comme Simone Simon exhibent leur bronzage de printemps sur les planches. Peut-on imaginer cadre plus adapté pour officialiser, devant cette société brillante et mélangée, la querelle qui a tenu en haleine la société parisienne et les médias internationaux pendant presque deux semaines ? Deauville est en outre l'une des haltes du marquis et de ses danseurs chaque saison. Le directeur des casinos, comme de ceux de Cannes, l'aide à combler le déficit de plus d'un million par semaine que subissait la compagnie. Les riches relations du marquis et le public fortuné qu'il attire perdent bien davantage au jeu, ne serait-ce que pendant les entractes ! C'est en effet à qui perdra le plus, pour bien montrer l'étendue de sa fortune. C'est stupide, mais tant mieux si le Grand Ballet y gagne.

8.

Etrange et sublime *Belle au bois dormant*

Après treize années aussi flamboyantes, d'aventures, de créations, de voyages, de défis, de fastes mais aussi de déceptions, peuplées de personnages dignes de quelque Commedia della Danza, il est exclu que l'ère Cuevas s'achève autrement que sur un triomphe. Dans ce Théâtre des Champs-Elysées qui vit aussi la création du *Sacre du Printemps* au temps de Diaghilev, ce triomphe va incarner les rêves du marquis : une féerie raffinée, dans un goût typiquement parisien. Elle rappelle les divertissements des cours du XVIIIe siècle, réunissant devant un public enthousiaste et élégant certains des plus grands danseurs de leur temps. Certes, il en coûte une somme fabuleuse pour l'époque, quelque cent millions que le marquis ne rassemble qu'en vendant son appartement du quai Voltaire. Mais il sait sa fin proche. Il est prêt à tous les sacrifices pour terminer en beauté ces treize années de bonheur. Annoncée comme ses « adieux à la danse » – on retrouve encore son sens de la publicité, de la communication, cette manière de proclamer haut et fort ses sentiments et même sa mort prochaine –, la magistrale révérence finale du marquis sera un grand ballet en quatre actes, *La Belle au bois dormant*, dans des décors et costumes de Larrain. Ce spectacle magique est créé le

27 octobre 1960 au Théâtre des Champs-Elysées, soit quatre mois presque jour pour jour avant la mort du marquis. Il reste dans la mémoire de tous ceux qui le virent et des danseurs, qui vont pendant deux saisons parcourir le monde avec le même succès jusqu'à l'ultime représentation de la compagnie à Athènes en juillet 1962, comme l'apothéose du travail fourni par le marquis depuis tant d'années.

Nous sommes aujourd'hui habitués à voir les grands ballets classiques dans leur intégralité. Au début des années 1960, en France, il n'en est rien. A l'Opéra, la création en 1951 de la *Blanche-Neige*, grand ballet en plusieurs actes, de Serge Lifar et Maurice Yvain fut un événement unique. Hormis *Sylvia*, aucun grand ballet en trois ou quatre actes de la fin du XIXᵉ siècle n'est donné dans sa totalité. On préfère les soirées composites comme les mercredis de l'Opéra de Paris, ou celles que présentent les compagnies itinérantes comme celles de Roland Petit ou de Maurice Béjart. L'intégrale du *Lac des cygnes*, montée en 1961 à l'Opéra dans la version Bourmeister, est une grande première... Avec Josette Amiel et Peter Van Dyck dans les rôles principaux, cette production ouvre une voie absolument nouvelle à l'Opéra. Un an avant, en 1960, le projet de l'International Ballet du Marquis de Cuevas d'une *Belle au bois dormant* intégrale en quatre actes fait donc sensation. L'effort artistique et financier nécessaire est surhumain pour une compagnie privée.

Pour préparer et répéter les deux heures de spectacle qu'exigent les six tableaux de l'action, le marquis a réuni un mélange explosif de personnalités opposées. L'explosion aura d'ailleurs bel et bien lieu avant la fin des répétitions.

Pour la chorégraphie, il a choisi Bronislava Nijinska, personnalité marquante entre toutes. Sœur de Vaslav Nijinski, elle est née en 1891. Entrée comme ses deux frères à l'Ecole de danse des Théâtres Impériaux et y fait toutes ses études à la fin de la grande époque du Mariinski. Elle intègre la compagnie de ce théâtre en 1908 et participe à la première saison des Ballets Russes de Diaghilev à Paris. Toute jeune ballerine, elle a naturellement la plus grande admiration pour son frère dont elle pressent le talent de danseur et même de chorégraphe. Souvent, dans leur enfance, il aime créer de petites chorégraphies, mi-ballet, mi-jeu, pour lui même, Bronia et leur frère aîné qui doit malheureusement perdre très vite la raison et périr dans l'incendie de l'hôpital où il est interné. Très impressionnée par Chaliapine avec qui elle est certainement bien plus liée qu'elle ne le laisse entendre, elle fait donc avec Diaghilev le voyage de Monte-Carlo et de Paris. Plus danseuse de demi-caractère que purement classique malgré une solide technique de base apprise avec les derniers grands maîtres de l'école de Saint-Pétersbourg, elle poursuit une sorte de double carrière, en partie avec Diaghilev, en partie avec le Mariinski, jusqu'à sa démission des Théâtres Impériaux en 1911. Pour les Ballets Russes elle crée le rôle du Papillon dans *Carnaval*, la danseuse de rue dans *Petrouchka*, avant de reprendre le rôle de la Poupée en 1912. Dans ses Mémoires, elle raconte qu'elle servait de cobaye à son frère, y compris pour ses rôles à lui. Si elle participe à l'éphémère compagnie que Nijinski fonda en 1914 après sa rupture avec Diaghilev, elle continue ensuite toute seule sa carrière. D'abord en Russie, où, de retour en 1915, elle crée sa première chorégraphie à Petrograd avant d'ouvrir à Kiev une école de danse dont Serge Lifar est issu. Mais les conditions de travail sont trop compliquées et difficiles dans la Russie post-révolutionnaire et elle rejoint Diaghilev en Europe occidentale en 1921. Comme danseuse et comme chorégraphe, elle participe alors à la deuxième phase de l'aventure de la compagnie jusqu'en 1925. Son caractère bien trempé lui rend la cohabitation avec Diaghilev difficile. Sans doute la compagnie est-elle aussi trop imprégnée de souvenirs de son frère. Elle travaille alors comme chorégraphe indépendante, collaborant avec certains des plus grands théâtres du monde, que ce soit l'Opéra de Paris, ou le Colón de Buenos Aires. Créant sans cesse, elle monte sa propre compagnie, travaille un temps aux Ballets Russes de Monte-Carlo, dirige les Ballets Polonais de Paris et collabore même avec Reinhardt à Berlin pour ses célèbres *Contes d'Hoffmann* et pour le *Songe d'une nuit d'été*. Sa réputation de chorégraphe est alors universellement établie, tout comme sa capacité exceptionnelle de maître de ballet et elle apparaît naturellement comme la plus apte à remonter le répertoire des Ballets Russes. Elle se rappelle aussi la création de *La Belle au bois dormant*, où, toute jeune élève de l'Ecole des Théâtres Impériaux, elle a figuré. Sa connaissance de la chorégraphie originale de ce ballet explique pourquoi le marquis de Cuevas fait appel à elle pour en monter une production intégrale. Elle était installée à Los Angeles depuis 1938, dirigeant une école et travaillant pour diverses compagnies américaines, lorsque le marquis qui venait de fonder son Ecole à New York fit appel à elle pour l'International Ballet qu'il fondait. Elle fait donc partie de son bref passé chorégraphique lorsqu'il reprend les Ballets de Monte-Carlo d'où sa collaboration quasi permanente avec lui. Elle se retirera plus tard à Los Angeles où elle mourra en 1972. La compagnie dansa plusieurs de ses ballets, créations comme *Concerto de Chopin, Feuilles d'automne* sur une musique de Tchaïkovski et dédié à Alicia Markova, *In memoriam, Elégie, Rondo Cappricioso, les Tableaux d'une exposition* sur la musique de Moussorgski, *Boléro*, de Ravel, dans des décors de Gontcharova, ou bien ballets de son répertoire comme *Les Biches* ou *Variations de Brahms*. Elle remonta aussi des

chorégraphies des Ballets Russes comme *Le spectre de la Rose,*
Petrouchka où *La Princesse Aurore* extrait de *La Belle au bois*
dormant.

Elle bénéficie non seulement de l'admiration du marquis mais aussi de celle de la marquise, ce qui favorise
l'efficacité de son action. Comme elle était la sœur du dieu
Nijinski, le marquis l'utilisa beaucoup comme une sorte de
contre-pouvoir à l'influence de John Taras. Celui-ci, bien
que d'origine russe, était passé par l'école américaine de
Balanchine et y avait acquis une rigueur que « Nijinska »
qualifiait volontiers de sécheresse, contrastant avec son propre lyrisme. Pourtant, leurs rapports personnels sont bons :
Taras la connaît depuis longtemps et l'a aidée à une période
de sa vie où elle connaissait quelques problèmes financiers,
elle lui en a gardé de la reconnaissance. En outre, il la
respecte et l'admire avant tout comme professeur. Mais « la
Nijinska » ne s'entend pas forcément aussi bien avec toutes
les danseuses ni avec tous les danseurs. Il faut souvent un
certain temps d'adaptation. Avec les gens qui travaillent
pour le marquis également. Ainsi, Mme de Freedericksz a
frôlé la catastrophe : « *Elle est arrivée fin 1953 pour faire un*
ballet. Je venais d'entrer dans l'équipe du marquis. Celui-ci lui
a dit en me montrant : "Chérie, j'ai engagé Mme de Freede-
ricksz." Elle m'a regardée des pieds à la tête et a déclaré : "Ça,
marquis, pas sérieux !" J'ai cru le verdict sans appel et j'ai même
craint que cela ne fasse revenir le marquis sur son désir de
travailler avec moi. En fait, elle était assez sourde et n'avait pas
compris mon nom. Quand elle l'a compris, elle s'est rappelé que
c'était aussi celui du grand intendant des Ballets Impériaux qui
venait remettre les récompenses de fin d'année aux élèves de
l'Ecole Impériale de Théâtre, donc à elle-même et à ses frères.
C'était le grand-oncle de mon premier mari, car j'étais déjà
divorcée à cette époque. Tout changea dès lors dans son compor-

tement. Toutes ses préventions tombèrent et j'ai toujours eu d'excellents rapports avec elle. Ce qui n'était pas le cas avec tout le monde. Sa surdité posait parfois problème. Je me rappelle qu'un jour, au moment des répétitions de Petrouchka, *un danseur espagnol qui devait se rendre au consulat pour faire renouveler ses papiers est venu la prévenir qu'il serait absent à la répétition. "Qu'est-ce qu'il dit ?" demanda-t-elle à son second mari. Celui-ci traduisit : "Il dit qu'il ne veut pas faire le rôle de l'ours." Grosse colère de la Nijinska : "Mais tout le monde a fait ce rôle, même Massine !" Il y avait souvent des scènes de ce genre. Ce rôle de l'ours, je l'ai d'ailleurs vue le montrer à un danseur. C'était incroyable. En quelques secondes, elle l'incarnait avec un réalisme fabuleux. A l'inverse, bien qu'elle n'ait plus vraiment la silhouette d'une danseuse, je l'ai aussi vue montrer un rôle de geisha de manière stupéfiante. »* Tout ceux qui ont travaillé avec elle s'accordent sur le côté spectaculaire du grand personnage. Elle en avait conscience, elle qui disait « la Nijinska » en parlant d'elle-même. Un caractère difficile, mais surtout à mille facettes. Autant sa bonté, sa générosité se manifestaient dès qu'il s'agissait de problèmes personnels des danseurs autant son intransigeance était redoutable dès qu'il s'agissait de danse. Elle n'admettait pas que l'on soit uniquement concentré sur la progression technique : « *Il ne fallait pas seulement faire les pas, même difficiles, mais apporter quelque chose qui vienne de l'intérieur pour les accompagner,* se rappelle Béatrice Consuelo. *Mais au cours, elle s'occupait de tout le monde, corrigeant tout le monde. Elle était souvent plus sévère avec les garçons qu'avec les filles, car elle gardait en mémoire la perfection de son frère. Elles les comparait sans cesse à lui. Leur vie était plus difficile que la nôtre à cet égard. Elle ne se référait pas à l'époque des Ballets Russes en général, seulement à son frère en particulier, sans arrêt.* » A l'époque Cuevas, elle présente un aspect assez masculin. Elle se fera plus belle en vieillissant, car sa beauté intérieure illumine son visage entouré de cheveux blancs. Et puis, malgré une silhouette alourdie, elle sait montrer des ports de bras d'une grâce incroyable, pour *Les Sylphides*, notamment, et surtout, elle peut incarner absolument tous les personnages d'un ballet, masculins ou féminins : « *Même pour* Le Spectre de la rose, *cette femme grande et forte se transformait en fine ballerine romantique. Elle nous a appris tout ce qu'est le travail du haut du corps, des bras, des épaules, du cou,* souligne encore Béatrice Consuelo. *Tout ce qui donne de la personnalité.* » Marjorie Tallchief avait travaillé avec elle aux Etats-Unis avant de venir chez Cuevas. Elle fit partie des rares élèves qu'elle conserva, car elle renvoyait ceux qui n'appliquaient pas ses ordres à la lettre. Marjorie reconnaît aussi « *l'originalité de son apport et la personnalité de ses chorégraphies, qu'à l'époque, on considérait comme très modernes* ». On a aujourd'hui redécouvert leur modernité, notamment en ce qui concerne *Noces* de Stravinsky. L'Opéra de Paris a aussi fait entrer à son répertoire *Les Biches* et *Le Train bleu*, non dénués de charme, mais dont les livrets sont sans doute trop liés à l'actualité sociale de l'époque pour ne pas sembler un peu légers au public actuel.

L'aventure de « la Nijinska » chez Cuevas se termine donc de manière bizarre, sur un malentendu. Que s'est-il passé exactement ? Quelque temps avant la première, on apprend qu'elle ne signe pas la chorégraphie à laquelle elle travaille pourtant depuis longtemps. On fait appel en catastrophe au Britannique Robert Helpmann pour que le spectacle puisse avoir lieu. Après l'annonce de son départ, elle publie plusieurs communiqués dans la presse. Dans *Paris Presse* du 26 octobre elle déclare : « *Ma mission n'était pas de reconstituer l'ancienne chorégraphie de Marius Petipa. Il avait été accepté de créer une nouvelle version chorégraphique que*

175

j'avais exécutée. Contrairement à ce que l'on a dit, je n'ai pas donné ma démission au marquis de Cuevas. C'est la direction de la compagnie qui a suspendu mon travail pour un motif peu clair que je préfère ne pas élucider. » Une autre déclaration suit le lendemain : « *Je n'ai pas donné ma démission au marquis de Cuevas, mais c'est la direction qui a brusquement suspendu mon travail le 28 septembre, juste avant la répétition sur scène avec les costumes et les décors, pour un motif peu clair. Je ne pouvais en effet pas me permettre d'abandonner et détruire par ma propre volonté une œuvre d'art créée par moi avec le meilleur concours de tous les artistes de la compagnie.* » Elle réaffirme ensuite qu'elle n'était pas censée refaire la version originale du ballet mais bien la sienne, qui conservait d'ailleurs les principaux morceaux de bravoure originaux indissociables de la chorégraphie de Petipa. Les motifs que Nijinska se refuse à qualifier autrement que de « peu clairs » résident très certainement en une incompatibilité entre sa vision chorégraphique du ballet et l'approche esthétique de Larrain qui signait décors et costumes. Le côté magique mais extrêmement sophistiqué et précieux des décors et des costumes s'accorde mal avec l'idée que la Nijinska s'en fait, elle qui a travaillé dans sa jeunesse avec les plus grands peintres du début du siècle. En multipliant les robes à panier et les costumes Louis XIV, Larrain va à l'encontre des idées de celle qui a contribué à une vraie modernisation de la danse sous tous ses aspects, y compris celui de la décoration. Elle a très probablement l'impression d'une régression esthétique devant les ravissantes complications de l'univers de Larrain. Quant à savoir si c'est la version dite originale ou non qu'elle était censée monter, il est bien difficile de le dire aujourd'hui. Rosella Hightower, qui travailla plus que toute autre cette version avec elle, a la conviction que c'était bien la version vue au début du siècle au Mariinski que Nijinska avait en tête pour l'essentiel. C'est d'ailleurs cette même version que Rosella Hightower remonta pour le Ballet de l'Opéra de Paris quand elle en fut directrice. En tout cas, cette querelle faillit remettre en cause l'existence même de l'ultime spectacle voulu par le marquis. Dans son livre *Ma vie avec la danse*, Irène Lidova, collaboratrice du marquis dès la première heure et parfaitement familière des coulisses de son univers artistique, résume clairement l'affaire qui agite tout Paris et qui, cette fois, n'est aucunement une opération publicitaire : « *Le troisième acte restait inachevé. C'est là que s'est produite entre elle et Larrain une discorde dramatique. Nijinska a refusé d'employer les costumes de Larrain dont le style lui déplaisait, et au grand désespoir du marquis, elle a décidé de se retirer sans terminer son œuvre. La marquise fut appelée au secours. Elle est arrivée de New York, mais malgré la centaine de roses qu'elle lui a envoyée, Nijinska est restée intraitable. J'avais également été déléguée à son hôtel pour des pourparlers, mais je plaidais une cause perdue. Elle a refusé de voir figurer son nom au programme...* » Nijinska travaillait depuis un an sur la chorégraphie. Robert Helpmann ne signa pas non plus. Il figure seulement comme metteur en scène. Curieusement, ce ballet qui a tant de succès pendant deux ans n'est donc signé d'aucun chorégraphe. L'incident est navrant, fin triste et oiseuse pour un mariage artistique qui a connu de grands moments, et une collaboration qui fut un apport majeur pour la qualité de la compagnie.

A quelques mois de sa mort, le marquis n'a plus le même contrôle sur la compagnie. L'influence de Larrain n'a cessé de grandir et ce n'est pas un hasard s'il se taille une si belle part de cet ultime gâteau. A son arrivée au début des années cinquante dans la mouvance du marquis, c'était un jeune décorateur très talentueux. Irène Lidova l'aimait bien. « *Raymondo avait des talents multiples. Il avait été danseur, il pouvait chorégraphier, mais il était surtout décorateur. Sous un physique romantique aux grands yeux verts et aux cheveux fous, il cachait une volonté de fer et une immense ambition. Nous nous entendions bien car il était très fin et avait un goût très sûr. Il avait beaucoup travaillé pour cette* Belle au bois dormant, *car il savait que tout son avenir pouvait en dépendre. Je le voyais souvent arriver chez moi, tard le soir, au sortir d'harassantes journées de travail passées à vérifier les moindres détails de chaque costume avec Irène Karinska et Marie Gromseff. Je l'aidais à concevoir le programme-souvenir qu'il voulait somptueux. Il porta un soin extrême aux photographies des danseurs, voulant qu'elles soient vraiment un reflet du spectacle. Il les envoya tous se faire photographier maquillés de blanc, les yeux cernés de noir. L'effet était magnifique.* »

Dans la compagnie, tout le monde n'est pas de cet avis. Nicolas Polajenko ne peut pas le souffrir : « *A la mort du marquis, nous étions très tristes mais ce n'était pas une surprise. Nous avons appris que son neveu Larrain allait prendre la succession. Je le détestais. C'était un arrogant et c'est à cause de lui que tout a été gâché. On aurait sûrement pu continuer mais ce sont ses trafics auprès de la marquise qui ont tout gâché. Il se prenait pour un chorégraphe qu'il n'était pas. Je suis sûr que sans lui on aurait pu continuer d'une manière ou d'une autre.* »
On sait aussi que s'il fit entrer Noureev dans la compagnie, leurs rapports passèrent vite de l'intimité à la haine totale. Il avait certainement pris déjà beaucoup d'ascendant sur la marquise, mais il n'avait apparemment aucun lien de parenté avec les Cuevas, bien qu'il se soit prétendu chilien, puis marquis, sans doute par mimétisme. Après *La Belle au Bois dormant*, il tenta de renouveler l'exploit avec une *Cendrillon* tout aussi somptueusement décorée. Elle fut inscrite au programme du premier Festival International de la Danse de Paris que Jean Robin créait en 1963, qui allait révéler tant

de compagnies et de danseurs au public français. Le projet fut monté avec l'aide de la vicomtesse de Ribes, l'une des grandes figures de la société internationale. On fit appel au Russe Waslav Orlikovsly pour la chorégraphie. Il collabora avec Larrain qui réglait la mise en scène mais se croyait aussi chorégraphe comme le souligne Polajenko. On avait réuni une troupe de haut niveau et le rôle-titre fut dansé en alternance par cinq jeunes danseuses, Tessa Beaumont, Claire Sombert, Yvonne Meyer, Margot Miklosi et Galina Samsova, promise à une grande carrière internationale. Dans un petit rôle débutait une toute jeune ballerine au nom célèbre et qui allait bientôt abandonner la danse, Géraldine Chaplin. Son nom fut bien utile pour stimuler l'intérêt de la presse et du Tout-Paris, dans une tradition que Larrain avait héritée du marquis. Ce fut un succès public mais un tel désastre financier que Larrain ne réitira jamais. Un temps photographe à New York, il semble avoir surtout vécu de la fortune de la marquise puisque les trusts et les héritiers lui intentèrent un procès à la mort de celle-ci. Il mourut oublié de tous ceux qui le courtisaient du temps de sa gloire.

Pour l'heure, c'est devant l'un des publics parisiens les plus brillants que se déroule la création de cette « *Belle* » historique. L'atmosphère est particulière, car beaucoup ont le sentiment étrange et prémonitoire d'assister à l'ultime fête de la grande famille Cuevas. Un dais rouge est une fois encore tendu devant l'entrée du Théâtre des Champs-Elysées. Les badauds sont là, comme toujours, avides de voir le Tout-Paris en tenue de gala. La Garde républicaine en grand uniforme et sabre au clair achève de donner, avec la décoration florale intérieure, un air de cérémonie hors du temps à cette « dernière grande première ». Et le défilé des invités commence, ambassadeurs, ministres, altesses royales et stars de cinéma sortent comme à l'accoutumée de leurs voitures rutilantes et franchissent les quelques mètres de tapis rouge sous les applaudissements et les commentaires admiratifs de la foule massée de part et d'autre de ce chemin de gloire. Voici la haute stature si élégante de la Bégum drapée comme toujours dans un sari, voici Bettina, mannequin vedette le plus en vue de l'heure. Martine Carol est accompagnée de Charles Boyer. Suivent Pascale Petit, la nouvelle vedette à la mode, le très séduisant Gregory Peck, Anouchka von Mecks, Ludmilla Tchérina, tout ce que Paris a pu rassembler comme célébrités, belles femmes et hommes illustres. C'est le résultat de treize années de relations publiques menées de main de maître par le marquis et par ses collaborateurs Irène Lidova et Claude Giraud, imprésario imbattable sur ce terrain.

Deux distributions alternées sont d'abord prévues pour les rôles principaux. Rosella Hightower et Nicolas Polajenko, Nina Vyroubova et Serge Golovine doivent être Aurore et Florimond le Prince Charmant, Georges Govilov et Béatrice Consuelo l'Oiseau bleu et la princesse Florine, tandis que Genia Melikova incarne la Fée des Lilas et Olga Adabache la méchante Carabosse. Devant le succès du spectacle et la multiplication des représentations, d'autres stars les rejoignent très vite, Liane Daydé, Jacqueline Moreau, Genia Melikova notamment, plus tard Yvette Chauviré et, bien sûr, Rudolf Noureev. Après son évasion si médiatisée, il n'a pu être engagé par l'Opéra de Paris. Un veto formel y a été mis par l'ambassade d'URSS – on est en pleine guerre froide. La France fait partie de l'Alliance atlantique mais veut ménager son influence à l'Est. Ni le gouvernement ni l'Opéra n'osent passer outre. Le Grand Ballet du Marquis de Cuevas est américain et ne doit rien à personne, sauf à la marquise, et il est donc libre d'engager qui il veut. Il est la première compagnie occidentale à accueillir Noureev. Qui ne se rappelle son apparition triomphale en Oiseau bleu de *La Belle au bois dormant* au Théâtre des Champs-Elysées ? Une impression de force, de jeunesse, de talent infini et encore un peu brut. Un cadeau mérité pour cette compagnie qui vit sans le savoir ses dernières belles heures et dont l'éclat atteint son zénith. Noureev alterne ensuite avec Golovine dans le rôle du Prince. On ne sait qu'acclamer le plus, de ses « brisés-volés » de l'Oiseau bleu, ou de son ébouriffant manège du pas de deux d'Aurore et Désiré… Son énergie, son instinct et sa musicalité sont fascinants. Dûment pris en main ensuite par Margot Fonteyn et le Royal Ballet, il peaufinera encore son style sans jamais retrouver la fraîcheur et la spontanéité de ces premiers spectacles parisiens…

Il s'intègre à la compagnie sans problèmes particuliers. Sauf quand, tombé amoureux d'Eric Bruhn, il part sans prévenir le retrouver à Copenhague. On finit par le trouver et le récupérer, après l'avoir cherché partout… Il faut aussi lui apprendre les bonnes manières. Liane Daydé se rappelle un premier contact assez orageux : « *Avec Rosella Hightower, Yvette Chauviré et Nina Vyroubova, ses partenaires comme moi dans* La Belle au bois dormant, *nous avons un premier rendez-vous, pour faire connaissance et répéter. Il arrive avec deux heures de retard. Je lui déclare que dans ces conditions, je ne répéterai pas. Il répond alors qu'il vient de choisir la liberté. On lui a expliqué que celle des autres existe aussi. Il ne s'est pas excusé, mais ensuite tout s'est très bien passé. Il fut toujours d'un professionnalisme total. C'était un excellent partenaire et un artiste hors normes.* » Béatrice Consuelo qui dansa souvent l'Oiseau bleu avec lui en garde le souvenir d'un « *garçon adorable qui ne donnait de leçons à personne et qui était aussi un excellent partenaire, les caprices n'étant venus que plus tard !* ». Nicolas Polajenko le trouva en revanche très arrogant : « *Pas avec moi, parce que je parlais russe. Mais s'il*

arrivait pour répéter l'Oiseau, il écartait tout le monde pour avoir la scène à lui tout seul. Avec moi, il était plutôt convivial, mais nos relations se limitaient à quelques mots quand nous nous échauffions à la barre. Je l'admirais. C'était la première fois que je voyais une technique aussi parfaite, un danseur qui tendait vraiment ses pieds ! Je l'ai dit et cela n'a pas fait plaisir à mes collègues. J'aimais ce qu'il faisait. A part Barychnikov, je n'ai jamais rien vu de semblable. Très arrogant, mais il cassait la baraque ! C'est cela qui importe. Il n'est resté que quelques mois avec nous avant d'aller rejoindre Fonteyn à Londres. Je l'ai revu plus tard. Il dansait toujours bien, mais sûrement trop. Il m'a dit alors qu'il dansait deux cent quarante fois par an ! C'est fou ! » Le souvenir de Rosella Hightower est un peu différent : « *Au début, il était terrorisé car il croyait tout le temps qu'on allait venir l'enlever. Il voyait des espions partout. Il lui a fallu du temps pour se détendre et se rassurer. En fait, c'était un jeune sauvage à l'état pur. Il était fabuleusement doué et extrêmement travailleur. Il faisait tout, mais naturellement, sans savoir y apporter ce qui permet de mettre en valeur la qualité du travail. Nous cherchions beaucoup ensemble et il découvrait. Nous avons beaucoup échangé pendant cette brève période et c'est pour cela, je pense, qu'il aimait danser avec moi. Il m'a ensuite fait confiance dans la vie autant que dans le travail. Il n'avait aucune expérience de la vie. Il avait tout à apprendre, mais il voulait justement tout apprendre, tout savoir, tout avoir. Son ambition était colossale. Il y est arrivé !* »
Pendant longtemps, c'est vrai, il a très peur d'être enlevé par les services secrets soviétiques. Au Théâtre des Champs-Elysées, il fait garder la porte de sa loge par le grand photographe Serge Lido, mari d'Irène Lidova. Cela ne lui épargne pas l'hostilité des communistes. Ils viennent un soir déverser sur scène quantité de pièces de monnaie. Une marque de mépris pour cette créature vénale qui préfère l'argent aux joies de la vie derrière le rideau de fer !

Pour celui que l'on désigne vite comme un deuxième Nijinski, c'est une chance de débuter à Paris dans une production d'une telle ampleur. Sur scène, ce sont deux cents costumes que le public médusé voit paraître, portés par les danseurs, dans une féerie de couleurs parfaitement harmonisées. Mais ils ne sont pas toujours adaptés au mouvement, comme le remarquent certains critiques, qualifiant même le tout de « *fatras de haute couture parfaitement impropre à la danse* ». Pourtant, la première est un triomphe. Paris tient là un spectacle jamais vu, on se bat pour venir admirer les équilibres invraisemblables de Rosella Hightower dans l'*Adage à la rose*, la beauté poétique de Nina Vyroubova, les prouesses techniques de Serge Golovine et de Nicolas Polajenko, et la légèreté et la vivacité des petites batteries de Georges Govilov et de Béatrice Consuelo dans le pas de deux de l'*Oiseau bleu*. Et puis, quelle joie de passer la soirée entière dans cet univers de rêve et d'élégance, sans avoir à changer toutes les demi-heures d'esthétique et de style chorégraphique ! Comme les distributions, par la force des choses, se renouvellent très vite, on veut revoir, pour comparer. Les ballerines doivent saisir le succès au vol. Liane Daydé, étoile de l'Opéra qui vient de reprendre sa liberté, se souvient de ses débuts dans ce spectacle : « *C'était au mois de novembre et Serge Golovine a demandé à ce que je vienne en invitée compléter les distributions de la* Belle. *J'ai donc appris le rôle tranquillement, mais je l'ai finalement dansé quinze jours plus tôt que prévu. Le ballet avait tant de succès que l'on multipliait les représentations. Il y avait ainsi matinée et soirée le dimanche. Genia Melikova devait assurer la matinée. Elle s'est blessée et a dû y renoncer. On allait annuler le spectacle. Quand je l'ai su, j'ai proposé de le sauver en me lançant plus tôt que prévu et bien que je n'aie pas fini mes répétitions avec Golovine. Mes costumes non plus n'étaient pas prêts, mais tant pis, j'ai dansé en collants de répétition au milieu des splendides costumes des autres, mais je l'ai fait et ceux qui avaient loué leurs places n'ont pas été déçus. J'ai eu ensuite une preuve de la courtoisie du marquis. Le lendemain, il m'a fait demander combien je voulais être payée pour cette prestation supplémentaire. J'ai répondu que je ne voulais rien, car je considérais cela comme normal puisque je faisais provisoirement partie de la compagnie. Le jour suivant, j'ai reçu un minuscule bouquet de violettes auquel était attaché un écrin de Cartier contenant une broche en forme de carquois avec sa flèche, en diamant et rubis. J'ai trouvé cela d'une réelle élégance. La quasi-totalité des autres directeurs de compagnie auraient été trop heureux de faire l'économie d'un geste pareil ! »*

Ballerine surdouée, étoile de l'Opéra à dix-sept ans, créatrice du rôle de Blanche-Neige imaginé par elle par Lifar en 1951, Liane Daydé, tout comme Vyroubova quelques années avant, venait de quitter l'Opéra. Son interprétation de la Princesse Aurore chez Cuevas dans cette production devait lancer brillamment sa carrière internationale indépendante. Coïncidence, comme souvent dans le monde du spectacle, c'était déjà avec un remplacement dans *La Belle au bois dormant* qu'elle avait gagné ses galons d'étoile à l'Opéra : « *Nous étions en tournée à Rio et à seize ans et demi, j'étais première danseuse. La grande ballerine Tamara Toumanova dansait Aurore dans le divertissement de* la Belle au bois dormant, *pot-pourri traditionnel rassemblant les principaux morceaux de bravoure du ballet. Un jour, à deux heures de l'après-midi, elle déclara qu'elle ne pourrait assurer le spectacle qui avait lieu à dix heures du soir. Aucune première danseuse n'a accepté de la remplacer, ne se jugeant pas assez prête. Je me suis proposée à Lifar. Il ne voulait pas y croire, me trouvant trop jeune, et parce que je ne savais pas le rôle. Je lui ai assuré qu'à dix heures du soir, je le saurais et le danserais. C'est ce qui s'est passé. De retour en France, six mois plus tard, j'étais nommée*

étoile ! La Belle *m'a toujours porté chance !* » Elle reconnaît
pourtant que dans la version Nijinska-Helpmann, la chorégraphie était d'une extrême difficulté, bien plus ardue que
dans les versions traditionnelles : « *Nous étions en scène tout le
temps, sans une minute pour se reposer en coulisse. Il fallait en
outre stimuler cette grande masse de danseurs qui nous entourait
pour que tout cela prenne vie. J'avais parfois l'impression d'être
plus une meneuse de revue qu'une danseuse étoile. Les costumes
réalisés par Karinska étaient dans des matériaux inhabituels et,
malgré leur légèreté, un peu difficiles à porter pour des danseurs.
En revanche, les perruques de Bertrand étaient aussi belles que
bien adaptées à la danse. Mais pour nous, au milieu de cette
magie des décors, des costumes et des éclairages qui galvanisaient
l'attention du public, il fallait se donner au maximum pour
exister et rappeler qu'il s'agissait d'un grand ballet classique et
non pas d'un grand défilé de mode !* » La famille Cuevas étant
toujours propice aux idylles, ces représentations permettent
à Liane Daydé de faire la connaissance de Claude Giraud.
Une rencontre le 31 décembre et un mariage le 8 février
1961 : le marquis doit être témoin. Il envoie à sa place Serge
Golovine, car il se sent « un peu fatigué ». Il meurt quelques
jours plus tard, le 22 février.

En cet automne 1960, Paris vit donc une fois encore à
l'heure Cuevas et le monde de la danse et du spectacle est en
pleine effervescence. La saison dure quatre mois, totalisant
240 000 spectateurs en 108 spectacles. Pourtant, héros de
cette apothéose, le marquis se meurt. Pendant les jours
précédant la première, les nouvelles les plus alarmantes
alternent avec les plus encourageantes. Le marquis est au
plus mal… mais non le marquis va mieux… Il fera le
voyage… mais non il est hors d'état de le faire. Même la fin
de vie du marquis prend des allures Grand Siècle. Le
23 octobre pourtant, il quitte *Les Délices* sur une civière et se

rend en ambulance à l'aéroport de Nice pour rentrer à Paris, accompagné de son infirmière, et de « Monsieur », le pékinois favori dont il a refusé de se séparer. Arrivé à l'avion, l'équipage est prêt à enlever plusieurs sièges pour qu'il puisse rester allongé mais le marquis de Cuevas peut voyager assis, il va mieux. Il arrive d'ailleurs en voiture au Théâtre des Champs-Elysées au soir du 27, mais avant ses invités pour gagner discrètement sa loge. Juste avant que l'orchestre n'attaque l'ouverture de la partition de Tchaïkovski, le faisceau d'un projecteur révèle au public sa silhouette frêle et son visage émacié. Les applaudissements crépitent. Son public lui rend l'hommage qu'il est venu chercher.

Et c'est à la première officielle de Liane Daydé qu'il vient, très malade et cette fois sur un fauteuil roulant, faire sur scène ses adieux au public, se sachant condamné. « *Je ne pouvais pas résister à l'envie de revoir Paris dans une salle élégante comme celle du Théâtre des Champs-Elysées...* » Après l'apothéose finale, dans sa chaise de malade, mais drapé dans une merveilleuse cape de drap violet doublé de velours émeraude et rubis, chaque main le reliant à ses étoiles, Liane Daydé et Serge Golovine, étincelants de diamants, il s'adresse une dernière fois au public pour un ultime adieu, recueilli en une sorte de sanglot. Ne préfigurait-il pas les adieux de Rudolf Noureev, au soir de la première de sa somptueuse *Bayadère* au Palais Garnier ? Tenant la main de ses danseurs, Isabelle Guérin, Elisabeth Platel et Laurent Hilaire, mourant lui aussi, il saluait une ultime fois le public parisien à qui il laissait cette œuvre en testament.

9.

Baisser de rideau

Dans la nuit du 22 au 23 février 1961 tombe la nouvelle de la mort du marquis de Cuevas. Plus que la stupeur, car on l'a vu mourant, c'est la consternation. Si, à Paris, quelques mauvais esprits n'ont vu dans ses adieux publics qu'un acte de plus à sa fréquente comédie de la maladie, ses proches et l'ensemble du monde artistique avaient compris que la mort était au rendez-vous. Rentré dans sa villa de Cannes après le triomphe de *La Belle* qui l'a comblé, il sait que l'aventure est finie. Pourtant, les semaines précédentes, il a pu s'illusionner : il s'est rendu sur une civière à l'Opéra de Nice voir une nouvelle fois Liane Daydé danser *La belle au bois dormant*. Fier de cet exploit, il avait aussi projeté de descendre à Cannes voir Rosella Hightower répéter son ballet *Trapèze*. Il a redemandé ses livres, ses albums, et même parlé d'avenir. Devant cette apparente amélioration – « *j'ai l'art de ressusciter !* » a-t-il même déclaré – la marquise est repartie quelques jours à New York régler des affaires. Elle aurait dû être de retour ce 22 février si une grève des mécaniciens des compagnies aériennes américaines ne l'avait obligée à passer par Copenhague : elle apprend la mort du marquis en arrivant à Paris.

187

L'année précédente, George de Cuevas avait failli disparaître lors d'une atteinte plus violente de sa maladie. Rétabli, on lui prête ces propos : « *Ce soir, j'ai vu la mort entrer tout en noir dans ma chambre. Je lui ait dit "Bonsoir la mort" et elle m'a répondu "Bonsoir marquis". Mais je lui ai fait peur, et elle s'est envolée.* » Cette fois, s'ils se sont courtoisement salués, la mort n'est pas repartie.

Le 22 au matin, il perd connaissance. Auprès de lui se trouvent sa secrétaire, Sheila Spangenberg, Horacio Guerrico, son proche collaborateur, Mme de Freedericksz, secrétaire générale de la compagnie, et son chauffeur Jean Carbone. Ils alertent tout de suite ses deux médecins, Pierre Guillemin et Lucien Bonhomme, qui lui administrent des remontants. Vers 13 heures, il reprend connaissance pour retomber très vite dans un demi-coma d'où il ne sort qu'en fin d'après-midi. Il tend les bras vers Mme de Freedericksz qui lui saisit les mains. « Mariuchka… Tous mes chéris… », murmure-t-il. Ce sont ses derniers mots. Toujours consciente de ses responsabilités, Mme de Freedericksz songe à avertir le ballet au plus vite. Elle se rend au studio où a lieu la répétition, mais celle-ci est déjà terminée et les danseurs sont partis se reposer avant le spectacle du soir. Elle affiche alors au tableau de service la note suivante : « *J'ai la grande peine d'annoncer à la compagnie que le marquis est décédé aujourd'hui. La représentation qui devait avoir lieu ce soir jeudi est remise à samedi.* »

Dans sa chambre, au premier étage de la villa *Les Délices*, le marquis a été revêtu de son habit noir des soirs de gala. Entre les doigts de ses mains jointes, on a glissé le collier de perles que lui avait offert sa mère sur son lit de mort. C'est ainsi que la marquise le trouve le lendemain matin.

Dès le vendredi matin, la presse publie les premières déclarations de ses proches et des personnalités les plus marquantes ayant suivi sa fabuleuse aventure. Serge Lifar se précipite à Cannes dès qu'il apprend la nouvelle, et déclare avec son emphase coutumière : « *Avec la mort du marquis, c'est la mort de la danse. Le marquis était un être merveilleux, d'un grande culture, d'une bonté profonde. C'était aussi un homme d'honneur... Un Ramsès égaré dans notre époque.* » Sa grande amie Cécile Sorel témoigne : « *Il était un grand gentilhomme et un seigneur. Il montait des spectacles de magnificence.* » Pour Georges Hirsch, administrateur général de l'Opéra de Paris, conseiller municipal et conseiller général de la Seine qui avait ainsi contribué à lui faire attribuer la grande médaille d'argent de la Ville de Paris, décision dont l'avis lui était parvenu le matin même de sa mort, « *la disparition de George de Cuevas est une perte irréparable pour la danse. Nous lui devons des spectacles inoubliables...* La Belle au bois dormant *restera, du point de vue scénique, comme un jalon sur la voie des esthétiques nouvelles, avec le même éclat que plusieurs des œuvres représentées par les Ballets Russes de Diaghilev* ». Ses danseurs, bien sûr, s'expriment aussi avec émotion. Serge Golovine rappelle que « *tout le monde connaît un des visages du marquis, celui du mécène fastueux et prodigue de spectacles merveilleux, mais bien peu sont ceux qui savent que derrière ce visage éclatant se cachait une âme extraordinairement pieuse et sensible* ». La grande Yvette Chauviré l'évoque comme « *un ami de la France et de tout ce qui en fait le prestige... Un amant de Terpsichore* », tandis que Nina Vyroubova ignore sans doute à quel point elle dit vrai en craignant qu'il ne faille « *attendre encore longtemps avant de rencontrer un autre Prince charmant tel que le marquis pour faire revivre aux yeux du monde des* Belles au bois dormant ». Et, plus que les déclarations du directeur des Jeunesses Musicales de France René Nicoly, du compositeur des *Forains* et des *Mirages* Henri Sauguet, de Jean-Louis Barrault, et de nombreux autres, celle de Ludmilla Tchérina est certainement la plus exacte et la plus prophétique : « *C'est toute une époque qui disparaît avec lui.* »

Le samedi 25 février, en fin d'après-midi, les obsèques de George de Cuevas ont lieu en l'église Notre-Dame-des-Pins à Cannes. Serge Lifar est venu déposer une rose sur le corps du marquis avant que ne soit scellé le cercueil. Deux ou trois mille personnes se sont déplacées pour voir le cortège qui quitte la villa *Les Délices* à 17 heures. Précédant celui qui porte le cercueil, un char funèbre disparaît sous les gerbes de fleurs. Dans l'église, John de Cuevas a rejoint sa mère et tous les proches collaborateurs du marquis, ainsi que Serge Lifar. Dans l'assistance, consternés, les danseurs de la compagnie se sont regroupés autour des étoiles comme Nina Vyroubova, Rosella Hightower, Serge Golovine et tous les interprètes de *La Belle au bois dormant*. Il y a aussi l'imprésario de la première heure, le fidèle Claude Giraud avec sa jeune épouse, Liane Daydé. Avant d'être inhumé dans le cimetière de Cannes – on ne sait pas encore s'il y restera ou rentrera aux Etats-Unis – le corps du marquis repose dans la crypte de l'église. Outre l'infinie tristesse qui marque le visage des participants à cette sobre cérémonie si différente de la vie du marquis, on sent poindre l'inquiétude légitime sur l'avenir de la compagnie. Y a-t-il une vie pour elle après le marquis ?

Pour l'heure, on entre dans le temps des hommages. Après les hâtives déclarations à la presse et aux radios dans les heures suivant la disparition du marquis, viennent les textes plus élaborés. Le revue *Art et Danse* a organisé dès le 19 mars, avec l'étoile de l'Opéra Madeleine Lafon, une messe en l'église Saint-Roch. Outre les proches collaborateurs du marquis, sont présentes de nombreuses personnalités parisiennes qui n'ont pu faire le voyage de Cannes, ainsi que des étoiles de l'Opéra, comme Carlotta Zambelli, Solange

Schwarz et bien sûr Madeleine Lafon. *Art et Danse* publie aussi un numéro spécial contenant des textes du marquis et les témoignages de nombreuses personnalités de la danse. Ce fut l'occasion de rappeler certains propos de ce personnage hors normes : « *Lorsqu'il venait sur le plateau à la fin d'un spectacle triomphal, encore tout vibrant d'enthousiasme, il me disait à l'oreille : "Comme cela doit être grisant d'avoir à ses pieds une foule en délire ! N'oublie jamais que tu n'as pas le droit de décevoir ce public qui t'aime, ne te laisse jamais aller à la facilité." Tout le respect du marquis envers son public est résumé en ces quelques mots* » (Serge Golovine). George Skibine écrit que « *d'autres animateurs ont créé des ballets meilleurs et ont eu des compagnies plus brillantes, mais personne ne pourra remplacer le marquis dans le cœur de ses danseurs* », et la journaliste Gilberte Cournand tente de conjurer des lendemains difficiles : « *Au trésor qu'il nous lègue, nous devons conserver tout son éclat, souhaitons donc que le public soutienne avec fidélité la célèbre compagnie du marquis de Cuevas. Ce sera la meilleure façon de rendre hommage à son inoubliable créateur* ».

Les semaines et les mois qui suivent la disparition du marquis sont assez chaotiques. Une fois passé le temps des grandes déclarations et des dithyrambes, il faut prendre conscience des réalités. Que va décider la marquise ? Qu'en est-il du testament du marquis ?

Devenue « International Ballet of the Marquise de Cuevas » et dirigée par Raymond Larrain devenu marquis Raymondo de Larrain, la compagnie est en danger. Le triomphe de *La Belle au bois dormant* n'y change rien. La marquise, on le sait, n'entretient pas la même passion irraisonnée pour la danse que son mari, ni pour les mondanités sur lesquelles repose en partie le succès de l'aventure Cuevas. Sans doute conseillée par les gérants de ses trusts aux Etats-

Unis, elle fait savoir qu'elle ne pourra continuer seule à mener une entreprise aussi coûteuse et déficitaire. Une baisse de Wall Street est la raison invoquée pour dissoudre la compagnie alors en tournée en Europe. Dans *Le Figaro* du 4 juin 1962 paraît cette dépêche datée de New York : « *Les administrateurs de la troupe de ballet connue depuis 1961, date de la mort du marquis de Cuevas, sous le nom de International Ballet of the Marquise de Cuevas, ont annoncé que la compagnie serait dissoute à la fin de la tournée que ses artistes effectuent en Europe. La troupe donne actuellement des représentations à Bruxelles. Elle se rendra ensuite à Amsterdam, à Vichy, puis à Athènes où elle doit se produire le 30 juin. Elle comporte soixante artistes. "Les prix sans cesse accrus de la production de nouveaux ballets, ainsi que l'accroissement des prix de l'entretien et du transport d'une telle troupe", ont été mentionnés par les administrateurs comme cause de la décision... Les administrateurs ont décidé que les fonds qui étaient consacrés à la troupe seraient utilisés désormais en vue de développer l'art du ballet. Cette disparition de l'une des dernières grandes compagnies privées était d'ailleurs attendue depuis quelques mois. La plupart des étoiles, telles Nina Vyroubova et Rosella Hightower, avaient déjà annoncé qu'elles reprendraient leur liberté la saison prochaine. La nouvelle a été communiquée l'autre soir aux artistes avant la représentation qu'ils donnaient à Bruxelles de* La Belle au bois dormant. »

Il est 20 h 30, juste avant le lever du rideau, lorsque Larrain annonce la catastrophe aux artistes prêts à entrer en scène. Après quelques minutes d'incrédulité – il y a eu tant d'alertes dans le passé ! – plusieurs danseurs, hommes et femmes, ne peuvent retenir leurs larmes. Mais l'attitude professionnelle l'emporte : ils dansent donc, remportent un succès exceptionnel, et ne peuvent, ensuite, que constater ensemble leur impuissance : « *A qui pouvons-nous dire :*

Venez perdre cent millions par an avec nous, vous en aurez pour votre argent ?» déclare Larrain. En disant que la mort de Cuevas marquait la fin d'une époque, Ludmilla Tchérina avait raison. En Amérique, d'autres grandes compagnies mobilisent les capitaux que l'on peut destiner au mécénat sans se ruiner. En France, seul l'Etat est désormais assez riche pour assumer les charges inhérentes à une telle entreprise. Même Roland Petit, malgré des succès permanents et une grande popularité, a mis fin la même année à la première mouture des Ballets de Paris qu'il avait créés en 1948 à la suite des Ballets des Champs-Elysées. Il ne retrouvera une compagnie de cette importance qu'à travers le financement institutionnel de la ville de Marseille dix ans plus tard, grâce à Gaston Defferre.

Le désarroi des danseurs est parfaitement justifié car beaucoup d'entre eux vont se trouver dans une situation critique. Plusieurs étoiles ont en revanche senti venir ce coup du sort, et signé des engagements pour l'été. Raison de plus, décide la marquise, pour annuler l'ultime spectacle que Larrain a tenté d'organiser au Théâtre des Champs-Elysées à Paris, après la date fatidique du 30 juin. Il espère sans doute un sursaut du public, ou celui de quelque mécène attendri par cet adieu à la capitale qui a fait le succès de la compagnie. Mais la marquise doit s'en tenir aux termes stricts du contrat autorisant la dispersion de la compagnie après l'ultime spectacle d'Athènes. Pour la première fois de sa vie, elle fait même une déclaration à la presse : « *Lorsque j'ai pris la décision d'annoncer à mes artistes que le ballet s'arrêterait le 30 juin à Athènes, je leur ai conseillé d'accepter immédiatement les propositions qui pourraient leur être faites. Ensuite, j'ai eu l'idée de présenter une dernière fois, pour quelques jours, la troupe à Paris. Mais la plupart de mes étoiles, ce dont je suis très heureuse et fière, avaient accepté des engagements à partir du*

1ᵉʳ juillet. Je pense donc qu'il n'est pas opportun de présenter la troupe sans ses étoiles. » De fait, Golovine et Liane Daydé dansent à New York dès le 5 juillet, Polajenko à Copenhague à partir du 2, Genia Mélikova en Amérique. La location, commencée au Théâtre des Champs-Elysées, est arrêtée et les places déjà vendues remboursées. Mieux valait certainement en finir vite, comme le confirmait Claude Giraud à Edgar Schneider : « *Pour moi, c'est très simple, je dois tout à la marquise et au marquis de Cuevas. J'avais vingt-deux ans quand ils m'ont fait confiance. J'ai assisté à toutes leurs difficultés, je comprends la décision de la marquise. Elle a raison d'arrêter en plein succès. Une telle troupe est impossible à soutenir et à financer sans un appui moral et financier officiel.* » Homme de terrain, véritable colonne vertébrale de la compagnie depuis ses origines en 1947, Claude Giraud a compris que les temps ont changé : désormais, seules les institutions publiques sont en mesure de financer des structures culturelles de cette importance.

Et pourtant, la succession aurait pu être assumée. Par Rosella Hightower, par exemple. Un an avant la liquidation de la compagnie, juste après la mort du marquis, Rosella Hightower avait quitté la compagnie pour jeter à Cannes les bases d'un Centre chorégraphique. En 1962, dans les salles de répétition aménagées dans l'ancien Hôtel Gallia sur les hauteurs de Cannes, elle a déjà rassemblé de nombreux danseurs dans ce qui est déjà une grande école de danse, avec la perspective d'accueillir dès la rentrée des élèves plus jeunes, de douze à dix-huit ans. Pourquoi ne pas franchir un pas de plus en constituant une compagnie relayant celle de Cuevas ? Mais comme toujours, avec quel financement ? Ceux qui se disent prêts, sans argent, à diriger la troupe ne manquent pas, qu'il s'agisse d'Horacio Guerrico, de Serge Lifar, d'Anton Dolin ou de Nicolas Bériozoff. Plusieurs mécènes sont envisageables. D'abord, la personne la plus riche de Cannes, l'une des plus grosses fortunes du monde et amie de longue date du marquis et de sa compagnie : la Bégum, qui pourtant apparaît vite comme un mécène fantôme, dont le nom est prononcé par beaucoup de monde, « *mais jamais par elle* », comme le remarque Patrick Thévenon. Ce dernier souligne aussi que la milliardaire américaine Florence Gould pourrait avoir un geste, mais pas seule. Offrant, dit-on, une très belle broche de diamants à Rosella Hightower en guise de réponse, la Bégum est vite oubliée. Restent les autorités locales et Lucien Barrière, roi des casinos de France et dont le groupe a toujours collaboré avec le marquis à Cannes et à Deauville. Les pourparlers s'engagent avec Rosella Hightower, mais le projet de reprise de la compagnie Cuevas n'aboutit pas. La page est irrémédiablement tournée et cette magnifique aventure n'aura d'autre épilogue que les sordides démêlés juridiques opposant la famille Cuevas à Horacio Guerrico trop gâté par le testament du marquis, et des années plus tard, à Larrain en personne, après la mort de la marquise. La plupart des étoiles ont poursuivi leur carrière. Claude Giraud et Liane Daydé, ayant acquis décors et costumes de la compagnie, fondent avec succès le Grand Ballet Classique de France. Marie de Freedericksz continue, à l'occasion, à s'occuper des affaires françaises de la marquise jusqu'à la mort de celle-ci. On est rarement mécène de père en fils : les enfants du marquis n'ont pas repris le flambeau eux non plus. Brillamment, ils ont suivi d'autres voies. Elisabeth de Cuevas est aujourd'hui un sculpteur de grand renom à New York, et son frère John, biologiste, savant, est professeur d'université.

Que reste-t-il alors de cette aventure qui tint en haleine le monde artistique pendant quinze ans ? Pour toute une génération de public et de danseurs, la découverte d'un art qui a changé leur vie, suscité pour beaucoup leur vocation. Surtout, ce sont les souvenirs inaltérables d'une micro-société vouée au culte de la beauté, se jouant à elle-même autant de spectacles qu'elle en offrait aux autres, réunie autour d'un homme exceptionnel, dont la devise résume l'existence : « *Ce qui donne du prix à la vie, c'est la faculté d'aimer.* »

Annexe

Ballets dansés par le Grand Ballet du Marquis de Cuevas, l'International Ballet du Marquis de Cuevas et l'International Ballet of the Marquise de Cuevas.

Achille (La Rochefoucauld-Skibine-Pellerin)
Adage de la fée des roses (Tchaïkovski-Petipa-Respens)
Annabel Lee (Schiffman-Skibine-Delfau)
Antinoüs (Nicolau-Gsovsky-Lacroix)
Arlequinade (Drigo-Petipa-Karinska)
Aubade (Poulenc-Lifar-Népo)
Bal des jeunes filles (Strauss-Taras-Benois)
Boléro (Ravel-Nijinska-Gontcharova)
Car's Cradle (Addison-Cranko-Heeley)
Casse-Noisette (d'après Petipa)
Colloque sentimental (Bowles-Eglevsky-Dali)
Concerto Barocco (Bach-Balanchine-Karinska)
Concerto de Chopin (Chopin-Nijinska)
Constantia (Chopin-Dollar-Raveling)
Contrepoint d'amour (Delias-Lambrinos-Vanarelli)
Cordelia (Sauguet-Taras-Dupont)
Corrida (Scarlatti-Lichine-Capuletti)
Coup de feu (Auric-Miloss-Cassandre)
Danses du Prince Igor (Borodine-Fokine-Gontcharova)
Del amor y de la muerte (Granados-Ricarda-Hubbard)
Dessin pour les six (Tchaïkovski-Taras-Robier)
Diagramme (Bach-Charrat-Munschy)
Divertissement (Tchaïkovski-Taras)
Don Quichotte (d'après Petipa)
Dona Inès de Castro (Serra-Ricarda-Hubbard)
Duetto (Verdi-Lifar)
Duo (Scriabine-Goubé-Snyder)
Elégie (Chopin-Nijinska)
Entre chats (Damase-Larrain-Larrain)

Le marquis de Cuevas

Esmeralda (Pugni-Beriozoff)
Faust (Gounod-Taras)
Fête polonaise (Chabrier-Caton-Coppa)
Feu rouge feu vert (Petit-Golovine-Castelli)
Feuilles d'automne (Tchaïkovski-Nijinska-Manya)
Gaîté parisienne (Offenbach-Massine-Laverdet)

Giselle (d'après Coralli et Perrot)
Grand pas classique (Auber-Gsovsky-Dublanc)
Grand pas de deux (Morenco-Perejeslavec)
Idylle (Serette-Skibine-Camble)
In Memoriam (Chopin-Nijinska)
Jeanne d'Arc (Girard-Mail)
Jeunesse, Amour, Passion (Rachmaninoff-Goubé)
L'Aigrette (Chavchavadze-Bartholin-Rosetti)
L'Amour et son destin (Tchaïkovski-Lifar-Wakhévitch)
L'ange gris (Debussy-Skibine-Sébire)
L'île cruelle (Serette-Taras-Alwyn)
L'Oiseau bleu (d'après Petipa)
La Belle au bois dormant (Tchaïkovski-Helpmann-Larrain)
La chanson de l'éternelle tristesse (Headington-Ricarda-Stubbing)
La femme muette (Paganini-Cobos-Lebrun)
La Fiesta (Gould-Martinez-Levasseur)
La fille mal gardée (Dauberval)
La Lampara (Donati-Dell'Ara-Dell'Ara)
La légende des trois sœurs (Acevedo-Larrain-Larrain)
La nuit sur le mont Chauve (Moussorgski-Lifar)
La Princesse Aurore (d'après Petipa)
La Princesse Aurore (Tchaïkovski-Nijinska-Karinska)
La Reine insolente (Serette-Skibine-Camble)
La somnambule (Rieti-Balanchine-Delfau)
La Sylphide (Lœvenskjold-Lander-Daydé)
La Tertulia (Infante-Ricarda-Capuletti)
La Forêt romantique (Glazounov-Taras-Daydé)
Le beau Danube (Strauss-Massine-Guys)
Le cygne noir (d'après Petipa)
Le Lac des cygnes (d'après Petipa)
Le lien (Franck-Goubé-Muntanola)
Le mal du siècle (North-Starbuck-Camble)
Le moulin enchanté (Schubert-Lichine-Benois)
Le pas de la vestale (Spontini-von Rosen-Larrain)
Le Pont (Marks-Starbuck-Robier)
Le prince du désert (Damase-Skibine-Camble)
Le prisonnier du Caucase (Katchaturian-Skibine-Doboujinski)
Le retour (Prokofiev-Skibine-Lepri)
Le spectre de la rose (Fokine)

Le marquis de Cuevas

Les Biches (Poulenc-Nijinska-Laurencin)
Les cinq dons de la fée (Dohnanyi-Dollar-Fini)
Les femmes de bonne humeur (Scarlatti-Massine-Derain)
Les messagers blancs (Bach-Inoyoka-Inoyoka)
Les Sylphides (Fokine)
Les tableaux d'une exposition (Moussorgski-Nijinska-Aronson)
Les Variations de Brahms (Brahms-Nijinska-Vertès)
Mort de Narcisse (Pothier-Golovine-Delfau)
Noir et Blanc (Lalo-Lifar-Chesaud)
Othello (Damase-Adret-Wakhévitch)
Pas de quatre (Dolin)
Pas de trois classique (Minkus-Balanchine-Levasseur)
Pastorale (Couperin-Skibine-Delfau)
Perlimplinade (Monpou/Monsalvage-Skouratoff-Coll)
Perséphone (Schumann-Taras-de Nobili)
Petrouchka (Stravinski-Fokine-Benois)
Piège de lumière (Damase-Taras-Labisse)
Raymonda (d'après Petipa)
Roméo et Juliette (Berlioz-Skibine-Algaroff-Golovine-Ganeau)
Rondo Capriccioso (Saint-Saëns-Nijinska-Robier)
Saeta (Halffter-Ricarda-Stubbing)
Salomé (Strauss-Lifar-Larrain)
Scaramouche (Sibélius-Hightower-Wakhévitch)
Scarlatiana (Casella-Skouratoff-Severini)
Scherzo (Tchaïkovski-Taras-Robier)
Sebastian (Menotti-Caton-Fini)
Serenata (Schubert-Caton-Coppa)
Soirée musicale (Rossini-Taras-Levasseur)
Symphonie allégorique (Sauguet-Massine-Dupont)
Tarasiana (Mozart-Taras-Robier)
Tragédie à Vérone (Tchaïkovski-Skibine-Delfau)
Trapèze (Pothier-Seillier-Catulle)
Tristan fou (Wagner-Massine-Dali)
Triptyque (d'Indy-Caton-Laverdet)
Un cœur de diamant (Hubeau-Lichine-Gontcharova)
Une nuit d'été (Mendelssohn-Taras-Robier)
Variations pour quatre (Keogh-Dolin-Lingwood)
Voyage vers l'amour (Harkness-Massine/Taras/Mariemma/Elysoff-Ganeau)

Remerciements

Mes remerciements vont tout d'abord à Mme Kirilov, à M. Alain Giraud et au fonds Claude Giraud. Je remercie également, pour l'aide précieuse qu'ils m'ont apportée, Mme Elisabeth de Cuevas, Mme Irène Lidova, Mme Florence Roth, Mme Rosella Hightower, Mme Marjorie Tallchief, Mme Nina Vyroubova, Mme Liane Daydé, Mme Béatrice Consuelo, Mme Hélène Sadovska, M. Jean-Michel Damase, M. Guy d'Arcangues, M. John Taras, M. Nicolas Polajenko, M. André Levasseur, M. de Vallombreuse, M. Max Bozzoni, M. Yves Mousset. Sans leur aimable coopération à tous, ce livre n'aurait pu exister.

Table des matières

La composition de cet ouvrage a été réalisée
par Firmin-Didot
achevé d'imprimer en mai 2003
*par **Bussière Camedan Imprimeries***
à Saint-Amand-Montrond (Cher)
pour le compte des éditions Lattès

N° d'édition : 34490. — N° d'impression : 032156/4.
Dépôt légal : mai 2003.

Imprimé en France

ISBN : 2-70-962316-1